Franziska Gehm
Die Vampirschwestern
Eine Freundin zum Anbeißen

Alle Abenteuer der Vampirschwestern:

Franziska Gehm

Die Vampirschwestern

Eine Freundin zum Anbeißen

www.vampirschwestern.de

ISBN 978-3-7855-6108-9
9. Auflage 2014
© 2008 Loewe Verlag GmbH, Bindlach
Umschlag- und Innenillustration: Dagmar Henze
Umschlaggestaltung: Christian Keller
Printed in Germany

www.loewe-verlag.de

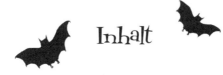

Inhalt

Verzwickter Einzug

Alles begann an einem Spätsommerfreitag. Der Tag war warm und sonnig, die Vögel in der Reihenhaussiedlung am Rande der Großstadt zwitscherten, ein Mann im weißen Unterhemd wusch sein Auto, eine Frau sah aus dem Fenster und knabberte an ihren Fingernägeln, und ein gescheckter Hund hob sein Bein, um an ein Straßenschild zu pinkeln. Es war ein schöner, verschlafener, normaler Spätsommerfreitag. Bis …

… bis ein großer, grauer Lieferwagen in den Lindenweg einbog. Er schoss mit Karacho um die Ecke, die Reifen quietschten, und aus dem Auspuff kamen drei große schwarzgraue Wolken, als hätte der Wagen Raucherhusten. Der Mann im Unterhemd ließ den Lappen sinken. Die Frau am Fenster biss sich in den Finger, und der Hund pinkelte einen eindrucksvollen Bogen auf den Gehweg, als er sich nach dem Lieferwagen umdrehte. An der Seitenwand des Lieferwagens, kaum lesbar durch eine Schicht Straßendreck, stand *Transport de mobilá*.

Vor dem letzten Reihenhaus, dem Haus Nummer 23, hielt der Lieferwagen an, wobei er eine letzte schwarzgraue Wolke ausstieß. Es klang wie ein Seufzen. Die Beifahrertür flog auf, und ein großer, schlanker Mann stieg aus. Er war vollkommen in Schwarz gekleidet, und trotz der Sonne trug er einen schwarzen Umhang, dessen Kragen hochgestellt war. Seine rabenschwarzen, halblangen Haare waren schwungvoll nach hinten gekämmt, und er bewegte sich wie ein Dirigent auf der Bühne. Doch das Auffälligste war sein Schnauzbart. Er erinnerte an zwei riesengroße Lakritzkringel und war so dicht und lang, dass er die Mundwinkel verdeckte und fast bis zum Kinn reichte. Der Mann mit dem Lakritzschnauzer war Mihai Tepes.

Mihai Tepes war anders als andere Männer. Genau genommen war er gar kein Mann. Mihai Tepes war ein Vampir. Er wurde vor 2676 Jahren als zweiter Sohn einer ehrwürdigen Vampirfamilie in Bistrien, einem kleinen Dorf in Siebenbürgen, geboren. Siebenbürgen, auch Transsilvanien genannt, liegt so ziemlich in der Mitte von Rumänien. Es ist ein schönes Land mit gewaltigen Bergen, rauschenden Flüssen und dichten Wäldern. Mihai Tepes liebte seine Heimat sehr. Trotzdem hatte er sie verlassen. Wegen einer Frau. Wie das nun mal so ist.

Und das kam so: Vor sechzehn Jahren streifte Mihai durch die Wälder seiner Heimat. Es war ein warmer Tag, doch der Himmel war bedeckt. Mihai war auf der Suche nach einem Nachmittagssnack. Einer Raupe, einem Eichhörnchen oder einem Reh. Auf einem schummerigen Waldweg sah er eine hübsche, rotwangige Touristin. Sein Appetit wurde sofort riesengroß. Er schlich sich von hinten an, legte seine Hände um ihre schmalen Schultern und biss sie voller Leidenschaft in den Hals. Blind vor Appetit hatte Mihai eins übersehen: Die hübsche Touristin trug eine Halskrause. Ein paar Tage zuvor hatte sie beim Wandern in den Karpaten einen Unfall gehabt. Pech für Mihai, Glück für die Touristin. Sie schrie auf, aber nur vor Schreck. Mihais Zähne hatten sich bloß in die Halskrause gebohrt. Er riss sich los und sah die hübsche Touristin verwirrt an. Was war das für eine Frau, an der er sich beinahe die Zähne ausbiss? Er sah zwei große, nachtblaue Augen – und pardauz! – war es um ihn geschehen. Es war Liebe auf den ersten Biss. Elvira, so hieß die Touristin, ging es nicht anders. Es folgten Küsse, Liebesschwüre, Mondscheinspaziergänge und Streit ums Putzen. Um die Sache kurz zu machen: Drei Jahre später heirateten Mihai und Elvira. Vier Jahre später bekamen sie Zwillinge: Silvania und Dakaria.

„Elvira, Silvania, Daka! Die Möbel sind da! Rapedadi, kommt!", rief Herr Tepes. Seine Stimme dröhnte durch die Vorstadtstille wie eine Tuba. Dann wandte er sich wieder dem Fahrer zu, der ausgestiegen war und sich eine Zigarette anzündete.

Im Lindenweg Nummer 23 flog die Haustür auf, und eine zierliche Frau mit rotem Wuschelkopf und einem nachtblauen Kleid, das perfekt zur Farbe ihrer Augen passte, lief mit kleinen schnellen Schritten auf den Lieferwagen zu. Das war Elvira Tepes. „Mihai! Potztausend, da seid ihr ja schon!"

Hinter ihr folgte ein Mädchen mit einer schwarzen kurzen Hose, schwarzen Netzstrümpfen und schwarzen Knöchelschuhen mit lila Schnürsenkeln. Auf ihrer blassen, kleinen Nase saß eine große schwarze Fliegersonnenbrille. Die pechschwarzen Haare standen in alle Richtungen ab und erinnerten an einen Seeigel. Das war Dakaria Tepes, die ihren Namen jedoch nicht sonderlich schön fand und deshalb darauf bestand, einfach nur Daka genannt zu werden.

„*Schon* ist gut", murmelte sie und gähnte.

„Alles ist relativ und Mama immer positiv", sagte ein ebenso blasses Mädchen, das hinter Daka zur Tür heraustrat. Das war Silvania, die ihren Namen liebte und es nicht ausstehen konnte, wenn ihn jemand abkürzte oder verniedlichte. Sie trug einen knielangen dunkelroten Rock, dessen Saum mit schwarzen Perlen bestickt war, und Ballerinas. Dazu hatte sie einen extravaganten Hut auf, als wäre sie eine englische Dame beim Pferderennen, und um ihre Schultern lag eine schwarz-rot gemusterte Stola. Sie war ein Stück kleiner und ein Stück breiter als ihre Schwester. Und sieben Minuten älter.

Elvira, Daka und Silvania Tepes hatten Bistrien am frühen Morgen verlassen, waren zum Flughafen in die Hauptstadt gefahren und mit dem Flugzeug nach Deutschland geflogen, direkt nach Bindburg. Mihai Tepes war in der Nacht selber nach Deutschland geflogen. Daka hätte ihn gerne begleitet, doch ihr fehlte einfach noch die Kondition für derartige Langstreckenflüge. Für Mihai waren die 1490 km zwischen seiner alten und seiner neuen Heimat der reinste Spazierflug. (In seiner Jugend, also vor 1244 Jahren, hatte Mihai Tepes an mehreren Marathonflügen über 4200 km teilgenommen, und mit seinem

Bruder Vlad hatte er eine Weltflugreise unternommen. Auch heute, mit seinen 2676 Jahren, war er noch ziemlich fit.)

Der Möbeltransporter, der Tage zuvor in Siebenbürgen losgefahren war, sollte eigentlich gleichzeitig mit den Tepes ankommen. Doch er hatte sich an einer besonders verzwickten Kreuzung verfahren. Zum Glück war diese Kreuzung nur noch wenige Kilometer vom Ziel entfernt, und Herr Tepes konnte den Lieferwagen aus der Luft aufspüren und in knapp zwei Stunden in den Lindenweg lotsen.

„Dann wollen wir mal!" Herr Tepes rieb sich die Hände, während der Fahrer mit der Zigarette im Mund die Hintertür des Lieferwagens öffnete.

„Meine Pflanzen!", rief Frau Tepes.

„Mein Aquarium!", rief Daka.

„Mein Cello!", rief Silvania.

Während der langen Fahrt durch Schlaglöcher, über Kopfsteinpflaster und durch so manche gewagte Kurvenlage war einiges im Lieferwagen durcheinandergeraten. Daka zog mit einem Ruck einen Korb voller Bücher von der Ladefläche. Es war, als hätte sie eine Lawine losgetreten. Im Wagen rumpelte und pumpelte es. „Schlotz zoppo!", schrie sie, doch es war zu spät.

Eine riesengroße Blumenvase rollte weiter hinten von einer Kiste, legte enorm an Tempo zu, segelte durch die Luft und landete mitten auf Silvanias Hut. FLOPP!

Ein Kaktus rutschte direkt auf Elvira Tepes zu, die schnell ihren Rock raffte und die Stachelpflanze darin auffing. „Meine Aylostera blossfeldi!", rief sie.

Im gleichen Moment fing Herr Tepes ein Bügeleisen und einen Schrubber auf. Mit dem Bügeleisen konnte er einen Tennisball abwehren, der ihm sonst geradewegs ins Gesicht geschossen wäre.

Daka beobachtete die zerstörerische Kraft der Umzugslawine mit offenem Mund und großen Augen. Zum Glück hatte das Rumpeln im Lieferwagen aufgehört. Alle atmeten auf. In dem Moment löste sich ein Buch aus dem Korb. Es war ein Wörterbuch mit 2500 Seiten. WUMMS!, landete es auf Dakas Fuß. „Auuuu!", jaulte Daka auf.

Silvania, Mihai und Elvira Tepes spuckten sofort dreimal hintereinander auf Dakas Fuß. Das war ein alter transsilvanischer Brauch gegen Schmerzen. Manchmal half er sogar. Nachdem sich die Tepes von diesem ersten Schreck erholt hatten, begannen sie mit dem Ausladen. Ganz vorsichtig.

Der Mann im weißen Unterhemd, die Frau mit den abgeknabberten Fingernägeln und der gescheckte Hund sahen mit großen Augen, wie klotzige Schränke, Kisten und eine blutrote Couch ins Reihenhaus Nummer 23 getragen wurden. Mit noch größeren Augen sahen sie, wie eine Kollektion aus schwarzen Umhängen, ein gigantischer Kronleuchter und eine hölzerne, altertümliche Orgel im Haus verschwanden. Als eine riesengroße Tiefkühltruhe, an die fünfzig weiße Klobrillen und ein schwarz glänzender Sarg ins Haus gebracht wurden, fielen ihnen die Augen beinahe aus dem Gesicht. Der

Mann im weißen Unterhemd ließ den nassen Lappen fallen, die Frau vergaß, an den Fingernägeln zu knabbern, und der Hund pullerte sich mit den letzten Tropfen ans rechte Hinterbein.

Im Reihenhaus Nummer 21, direkt neben den Tepes, wackelte die Gardine, und eine lange, gebräunte Nase verriet einen neugierigen Zuschauer. Doch die Tepes waren zu beschäftigt, um ihn wahrzunehmen. Im Reihenhaus Nummer 24, direkt gegenüber von den Tepes, kam ein etwa vierjähriger Junge an den Zaun gelaufen. „Badewanne!", rief er und zeigte mit dem Babyspeckfinger auf den Sarg.

Elvira Tepes lächelte und winkte dem Jungen mit einer Klobrille in der Hand zu.

Der kleine Junge runzelte die Stirn. Dann lief er wieder hinter das Haus.

„Nette Nachbarn", fand Frau Tepes. Sie winkte auch dem Mann im weißen Unterhemd und der Frau mit den abgeknabberten Fingernägeln zu, die sich daraufhin abwendeten und beschäftigt taten. Der Hund legte den Kopf schräg und beobachtete die Einzugsgesellschaft weiter neugierig.

Eine gute Stunde später war der Lieferwagen leer und das Reihenhaus voller Möbel, Kisten und Umzugskartons. Der *Transport de mobilá* verabschiedete sich mit drei schwarzen Abgashustern aus dem Lindenweg. Der scheckige Hund bellte ihm nach.

„Ist das nicht toll? Ist das nicht herrlich? Ist das nicht wunderbar?" Frau Tepes tänzelte vom Flur in die Küche und fuhr mit den Fingern über den glänzenden neuen Herd. „Seht euch das an", forderte sie Daka und Silvania auf, die in den Umzugskartons im Flur nach ihren Sachen kramten. „Alles ist neu, alles funktioniert, und alles ist so schön sauber!" Frau Tepes schwebte vom Flur ins Wohnzimmer und – „AAAHHH!" – stieß einen Schrei aus.

Daka und Silvania stürmten ins Wohnzimmer. Herr Tepes stand mit einem großen braunen Plastiksack in der Mitte und verteilte auf dem cremeweißen Teppich tiefbraune Erde.

„Was machst du da?" Frau Tepes' Gesicht war teppichweiß.

Herr Tepes sah auf und zuckte die Schultern. „Heimaterde verteilen, was denn sonst?"

Daka unterdrückte ein Kichern, Silvania verdrehte die Augen, Frau Tepes seufzte. „Mihai, bitte", begann Frau Tepes. „Wir hatten das doch alles besprochen – keine Heimaterde, keinen Sarg, keine Rennzecken und keine Blutkonserven in der neuen Wohnung." Sie deutete mit spitzem Finger auf die kleine Treppe, die zum Keller führte.

„Du meinst es also ernst? Ich soll in den Keller?"

„Wir sind nicht mehr in Bistrien, wo sich jeder einen Schuss Blut in den Kaffee kippt und alle mit den letzten Sonnenstrahlen aufstehen. Du kannst hier nicht einfach so in der Gegend herumfliegen. Und ihr auch nicht", sagte Frau Tepes an Daka und Silvania gewandt.

„Das hatte ich auch nicht vor", erwiderte Silvania und zupfte an ihrem Ohrläppchen.

Herr Tepes drückte den Rücken durch. „Ich stamme aus dem ältesten Vampirgeschlecht der

Welt, und ein Vampir braucht nun mal Heimaterde und einen Sarg."

„Ich weiß. Aber wenn hier jemand einen Sarg und Erde in unserem Wohnzimmer sieht, landen wir entweder bei der Polizei oder in der Irrenanstalt."

„Und wenn schon. Da kommen wir wieder raus."

„Mihai, bitte! Du bringst nicht nur dich, sondern auch deine Kinder in Gefahr. Du weißt doch selbst, dass früher nicht nur Vampire Menschen gejagt haben, sondern auch Menschen Vampire."

„Einige Vampire jagen heute noch Menschen." Mihai Tepes schnalzte mit der Zunge.

„Na, siehst du. Und einige Menschen jagen heute noch Vampire. Es ist besser, wenn hier niemand erst erfährt, dass Vampire eingezogen sind. Wir wollen doch niemanden verschrecken, oder?"

„Ja, aber …"

„Der Keller ist schön geräumig", bemerkte Frau Tepes.

Daka und Silvania wechselten schnell einen Blick, während ihre Eltern sich die Argumente wie Pingpongbälle zuwarfen. Daka deutete nach oben. Zeit, die Fliege zu machen.

In der oberen Etage gab es vier Zimmer: ein Schlafzimmer, ein kleines Badezimmer, Silvanias Zimmer und Dakas Zimmer. Silvania hatte sich das kleinere Zimmer ausgesucht, dafür konnte man von dort aus die Reihenhaussiedlung überblicken. Von Dakas Fenster aus blickte man auf ein Feld und einen kleinen Wald.

Als Silvania die Tür zu ihrem Zimmer aufstieß, ließ sie vor Entsetzen beinahe ihr Cello fallen. „MA-MAAA!!!"

Daka steckte den Kopf ins Zimmer. „Schlotz zoppo!"

Das Zimmer war voller Klobrillen.

„Was ist passiert?" Frau Tepes hastete mit Herrn Tepes im Schlepptau die Treppe hoch.

„DAS!" Silvania deutete mit zitterndem Zeigefinger auf die Klobrillen.

Frau Tepes kratzte sich hinter dem Ohr. „Ach ja, das habe ich ganz vergessen zu erwähnen. Stellt euch vor: Ich habe in Bistrien beim Werksverkauf noch ein paar Klobrillen günstig erstanden."

„Du hattest doch schon fünfzig", sagte Daka.

„Wie viele? Wie viele hast du noch gekauft?" Silvanias Stimme war tief und ihr Blick dunkel.

Frau Tepes zuckte die Schultern. „Ab hundert Stück bekommt man Mengenrabatt."

„Das heißt, wir haben hundertfünfzig Klobrillen in der Wohnung?" Silvania sah ihre Mutter verzweifelt an.

„Genau genommen zweihundertfünfzig." Sie lächelte kurz.

Silvania hingegen seufzte. In den zwölf Jahren ihres halbvampirischen Lebens hatte sie keinen Menschen (geschweige denn einen Vampir) kennengelernt, der so an einem Traum festhielt wie ihre Mutter. Frau Tepes war Künstlerin. Seit Jahren träumte sie von ihrem eigenen Klobrillenladen. Sie hatte die Geschäftsidee, Klobrillen für ästhetisch anspruchsvolle Kunden individuell zu gestalten. Im Dorf in Siebenbürgen, wo die meisten Einwohner wie ihre Vampirvorfahren am liebsten in der Natur ihr Geschäft verrichteten, floppte die Idee. Hier in Bindburg wollte es ihre Mutter noch einmal versuchen – aber musste sie ihre Klobrillensammlung deshalb in Silvanias Zimmer lagern? Silvania wusste, was das bedeutete: ein gemeinsames Zimmer für die Zwillinge.

„Gleich morgen fahre ich ins Stadtzentrum und sehe mich nach einem Laden um", versprach Elvira Tepes beim Abendessen. „Kommt doch mit, das wird bestimmt spannend", versuchte sie ihre Töchter aufzumuntern.

Doch die Stimmung war im Keller. Dort, wo Mihai Tepes nach langer Diskussion samt Sarg, Heimaterde und Orgel eingezogen war. Im Wohnzimmer blieb als Kompromiss ein katzenkloähnlicher Behälter mit transsilvanischer Erde zurück.

Eine schlaflose Nacht

„Fumpfs!", stöhnte Daka. „Ich kann nicht schlafen." Sie drehte sich zum x-ten Mal in ihrem Bett von einer Seite auf die andere. Dabei wackelte und quietschte das Bett, das wie eine Schiffsschaukel aussah. Oder wie ein bunter Sarg, der mit vier Ketten an den Ecken in einem Metallgestell hing. Auf Dakas schwarze Bettwäsche waren lauter kleine weiße, fette Larven gedruckt. Daka stopfte sich ihr Kissen unter den Kopf, das die Form einer riesengroßen Spinne hatte.

Die Schwestern hatten am Nachmittag jeweils eine Zimmerhälfte bezogen. Ihre Eltern hatten ihnen mit den Möbeln geholfen, dann hatten sie die Zwillinge lieber allein gelassen. Wie ein explosives, unsichtbares Gas lag Ärger in der Luft. Schweigend hatten die Schwestern ihre Schränke eingeräumt. Als Daka quer durch den Raum an der Decke eine Metallkette aufhängen wollte – zum Abhängen –, hatte Silvania protestiert. Schließlich verletzte Daka damit Silvanias Hoheitsgebiet und drang in ihre Zimmerhälfte ein. Erst bestand Daka darauf, dass es trotz allem ihr Zimmer war. Obwohl beiden Schwestern klar war, dass es Monate dauern könnte, bis die Klobrillen aus Silvanias Zimmer verschwunden waren. Dann bot Daka ihrer Schwester einen Deal an: Silvania durfte ihren alten, vertrockneten Baum, den sie als

18

Hutständer benutzte und für den sie wegen all der Bücherregale, Schmuckkommoden und Klamottenschränke keinen Platz mehr auf ihrer Hälfte hatte, in Dakas Zimmerhälfte abstellen, wenn sie dafür die Kette aufhängen durfte. So einigten sich die Schwestern. Daka hängte die Kette auf und Silvania stellte den Hutständerbaum in Dakas Zimmerhälfte ab.

Dann hatten sie ihr Gebiet markiert. Daka hatte über ihrem Bett ein Poster von *Krypton Krax*, ihrer transsilvanischen Lieblingsband, aufgehängt. Silvania hatte einen Strauß getrockneter Rosen aufgehängt. Oma Zezci hatte ihn ihr mit Transflyrop zum Geburtstag geschickt. Doch manchmal, vor dem Schlafengehen, redete Silvania sich ein, den Strauß von einem heimlichen, wahnsinnig gut aussehenden Verehrer geschenkt bekommen zu haben.

Silvania hob den Blick von ihrer Mädchenzeitschrift. Sie lag in einem alten Metallbett mit verschnörkeltem Kopfaufsatz und Bettpfosten, die wie schlafende Fledermäuse aussahen. Auf ihre Bettwäsche war ein Vollmond mit einem heulenden Wolf davor gedruckt. „Kein Wunder, dass wir nicht einschlafen können. Es ist ja auch noch total dunkel draußen. Wie soll man da ein Auge zukriegen?"

Daka seufzte und wickelte sich einen Arm ihres Spinnenkopfkissens um den Hals. „Um die Zeit wären wir in Bistrien in die Schule geflogen." Voller Sehnsucht sah sie aus dem Fenster in den Sternenhimmel. „Fehlt dir Transsilvanien auch schon sehr wie mir?"

Silvania verdrehte die Augen. „Wir sind gerade

mal einen Tag weg. Und du hast schon Heimweh. Du bist schlimmer als Papa."

„Na und? Was ist so schlimm an Heimweh?"

„Nichts. Ich finde nur, wir sollten es hier zumindest versuchen. Papa zuliebe haben wir zwölf Jahre in Transsilvanien gelebt. Und Mama zuliebe sind wir jetzt hier. Es ist nicht fair, alles mieszumachen."

„Mies? Wer macht etwas mies? Hier ist es einfach mies!" Mit einem Satz war Daka aus dem Bett gehüpft und mit zwei Armschlägen an die Decke geflogen. Sie hängte sich kopfüber mit den Beinen an die Metallkette.

„Dakaria! Komm da sofort runter!", rief Silvania.

„Nicht, solange du mich Dakaria nennst." Daka verschränkte die Arme.

„Daka, bitte komm runter. Wenn dich jemand sieht!"

„Wer soll mich denn hier sehen?", fragte sie und winkte zum Fenster.

„Na, irgendwelche Nachbarn."

„Dann müssen die aber im zweiten Stock an unserem Fenster vorbeifliegen", erwiderte Daka.

Silvania seufzte.

„Komm schon, wir werden ja wohl noch zu Hause abhängen dürfen. Das machen Menschen doch auch." Daka schaukelte an der Metallkette vor und zurück. Die Kette quietschte.

„Ja, es sieht nur etwas anders aus", sagte Silvania.

„Na und? Ich ändere mich doch nicht von oben bis unten, nur weil wir ein paar Tausend Kilometer weggezogen sind. Wenn Menschen keine Ahnung haben, wie man so richtig abhängt, ist das nicht mein Problem. Schlimm genug, dass wir hier nicht mehr fliegen dürfen, nachts schlafen und den ganzen Tag durchmachen müssen, in eine normale Schule mit normalen Menschen gehen und uns ständig mit Sonnencreme zukleistern müssen."

„So etwas nennt man In-te-gra-tion."

„Hä? Steht das in deiner Mädchenmenschenzeitschrift?"

Silvania machte „tze" und blätterte um. Sie hatte beschlossen, die Tatsache zu ignorieren, dass ihre Schwester über ihr an der Decke baumelte. „Also ICH freue mich, endlich unter Menschen zu kommen."

Daka runzelte die Stirn. „Und wieso?"

„Menschen sind einfach so … so kultiviert."

„Und was soll das bedeuten?"

In dem Moment ging ein Stockwerk tiefer die Terrassentür auf, und kurz darauf flog Herr Tepes mit einer Rolle Klopapier in der Hand am Fenster vorbei Richtung Wald.

„So etwas machen sie zum Beispiel nicht", erklärte Silvania. „Und sie essen kein blutendes Fleisch oder spielen mit Rennzecken und Blutegeln."

„Dafür essen sie Knoblauch, gehen freiwillig ins Wasser und sind ganz verrückt nach Sonnenstrahlen. Wäh!" Daka schüttelte sich. Die Kette quietschte. Dann warf Daka einen Blick auf ihr Aquarium, in dem sich ihre geliebten Blutegel schlängelten. „Und was hast du gegen Blutegel?"

„Nichts. Aber kein Mensch hat Blutegel als Haustiere. Menschen haben süße Puschelhunde, schnurrende Schmusekatzen oder zwitschernde Vöglein."

„Ich bin aber kein Mensch."

„Immerhin ein halber."

„Ich wäre lieber ein ganzer Vampir", seufzte Daka.

„Und ich lieber ein ganzer Mensch."

Eine Weile war es still in dem Mädchenzimmer, bis auf das leise Quietschen der Kette.

„Mensch sein ist total langweilig", meinte Daka dann.

„Ist es nicht."

„Doch, wetten?"

„Du hast keine Ahnung."

„Aber du."

„Ja."

„Na dann."

Ein paar Sekunden sagte wieder keiner ein Wort. Silvania schielte zu ihrer Schwester nach oben. Sie hatte die Arme verschränkt und die Augen geschlossen. „Komm lieber runter, Daka. Du weißt doch, dass du manchmal im Schlaf abstürzt."

Daka öffnete ein Auge. Musste sie ihre Schwester daran erinnern? Das war vielleicht zweimal, höchstens dreimal passiert. Und da war sie noch klein gewesen. Vielleicht sechs Jahre, höchstens acht. Aber wie das eben so war mit älteren Schwestern: Manchmal hatten sie recht. Auch, wenn sie nur sieben Mi-

nuten älter waren. Daka öffnete beide Augen und
beide Arme und flog zurück in ihr Bett. Sie machte
eine Bauchlandung auf ihrer Larvenbettwäsche und
vergrub das Gesicht im Spinnenkopfkissen. Der
Schiffssarg wackelte.

Silvania drehte sich zufrieden mit der Zeitschrift
zur Wand.

„Silvania?"

„Ja?"

„Schläfst du schon?"

„Ja."

„Ich auch."

„Gut."

„Boi noap."

„Ebenfalls gute Nacht."

Die neuen Nachbarn

Dirk van Kombast hatte die Nacht schlecht geschlafen. Er stand vor dem Badezimmerspiegel und strich sich mit seinen schlanken Fingern über das gebräunte Gesicht. Er war Ende dreißig, doch die meisten Leute schätzten ihn jünger. Dass sie das heute auch tun würden, bezweifelte er. Unter seinen Augen lagen dunkle Ringe. Daran waren die neuen Nachbarn schuld. Sie waren die Nacht über zwar nicht laut gewesen. Viel schlimmer: Sie waren verdächtig!

Er biss seine schneeweißen Zähne aufeinander, zog die Mundwinkel hoch und sagte zum Badezimmerspiegel: „Einen wunderschönen guten Tag. Mein Name ist van Kombast. Dirk van Kombast. Es freut mich außerordentlich, Sie endlich kennenzulernen. Ach? Sie kennen unsere Produktpalette noch nicht? Na, meine Liebe, dann wird es aber höchste Zeit!"

Dirk van Kombast lehnte sich weiter zum Spiegel vor und kratzte mit seinem langen Fingernagel den Rest vom Kräuterfrischkäse, mit dem er jeden Morgen sein Brot beschmierte, aus einem Zahnzwischenraum. Während er sich Ultra-Strong-Gel in die kurzen blonden Haare knetete, überlegte er, ob er statt der himmelblauen Kontaktlinsen doch lieber die katzengrünen reinmachen sollte. Die würden besser zu seinem neuen Polohemd passen.

Dirk van Kombast wohnte im Lindenweg 21. Er

war Pharmavertreter. Er fuhr mit einem Koffer voller Pröbchen von Arztpraxis zu Arztpraxis. Die Ärzte mochten ihn. Die Ärztinnen noch mehr. Ganz besonders mochten ihn die Krankenschwestern.

Dirk van Kombast spielte mit einem Hals-Nasen-Ohren-Arzt Squash, er ging einmal die Woche mit einem Kollegen schwimmen, einmal im Monat zum Friseur und zweimal im Jahr zur Zahnreinigung. Aber er hatte keine Freunde. So kam es, dass niemand Dirk van Kombast richtig kannte. Erst recht nicht sein Geheimnis.

Er sprühte sich gerade mit seinem Lieblingsduft ein (Ginseng-Patschuli), als es klingelte. Nicht ein Mal. Gleich drei Mal hintereinander. Verärgert stellte Dirk van Kombast den Flakon auf die Badanrichte. Dann überprüfte er im Spiegel sein Nussknackerlächeln, das er routiniert aufsetzte. Man wusste nie, wer vor der Tür stand.

Schwungvoll riss er die Haustür auf und schenkte den vier Gestalten davor sein Vertreterlächeln. „Einen wunderschönen guten Tag. Mein Name ist Dirk van Kombast. Was kann ich für Sie tun?"

Ein schlanker Mann mit einem schwarzen Umhang und einem grotesk gekringelten, langen Schnauzer ergriff Dirk van Kombasts Hand, zog ihn an sich und gab ihm mit der anderen Hand eine Kopfnuss. „Hallo. Wir sind die neuen Nachbarn."

„Elvira Tepes." Eine zierliche, rothaarige Frau schob sich vor den Schnauzträger und reichte Dirk van Kombast die Hand. „Unsere Töchter: Silvania und Dakaria."

Silvania lächelte und machte einen Knicks. Daka sah Dirk van Kombast durch die langen schwarzen Ponysträhnen hindurch an und zog eine Seite der Oberlippe hoch.

Dirk van Kombast fasste sich an den Kopf. Die Kopfnuss war kräftig gewesen – und vollkommen unerklärlich. Was war diesem Herrn Tepes nur in den Sinn gekommen? Das waren also die neuen Nachbarn, wegen denen er in der Nacht kaum ein Auge zubekommen hatte. „Ach, wie nett. Die neuen Nachbarn!" Er musterte Elvira Tepes mit Kennerblick, bis sich Herr Tepes vor seine Frau schob.

„Wir freuen uns auf eine gute, lange und herzliche Nachbarschaft." Herr Tepes reichte Dirk van Kombast eine Flasche.

„Was ist das?"

„Karpovka. Der beste transsilvanische Schnaps."

„Nein, ich meine das da." Dirk van Kombast zeigte auf einen grüngelben Kringel am Boden der Flasche.

„Das ist die Spezialität." Herr Tepes strahlte. „Eine Afterraupe. Die gibt dem Karpovka den unverkennbaren Geschmack. Wollen wir gleich mal ein Gläschen ... so zum Kennenlernen?"

„Äh ... ich trinke nie am Vormittag. Und am Nachmittag eigentlich auch nicht."

„Na, dann vielleicht mal am Abend, was?"

„Sie können auch gerne zum Kaffee zu uns kommen", warf Frau Tepes ein.

„Danke, sehr liebenswürdig." Dirk van Kombast hatte sein Lächeln wiedergefunden. „Woher, sagten Sie, kommen Sie?"

„Aus Transsilvanien", antwortete Herr Tepes.

„Aus Siebenbürgen", verbesserte ihn Frau Tepes. „Das heißt – eigentlich nur mein Mann. Ich bin in Deutschland geboren."

„Interessant." Dirk van Kombast musterte die beiden Mädchen. „Und ihr zwei seid ja schon richtige Damen. Fast so hübsch wie die Mama."

Die eine mit den halblangen rotbraunen Haaren kicherte und hielt sich dabei die Hand vor den Mund.

„So ein Blödsinn", brummte Daka und verschränkte die Arme.

„Ich bin sicher, wir werden sehr gute Nachbarn. Sie können jederzeit bei mir klingeln", sagte Dirk van Kombast mit einem cremigsüßen Lächeln an Frau Tepes gewandt.

„So. Jetzt müssen wir aber los." Herr Tepes hob einen Beutel hoch, in dem mehrere Schnapsflaschen klapperten. „Sie sind schließlich nicht der einzige Nachbar." Einen Moment funkelten Herrn Tepes' schwarzbraune Augen den Nachbarn an, doch Dirk van Kombast hielt dem Blick mit seinen katzengrünen Kontaktlinsen stand.

Die Tepes verabschiedeten sich, und Elvira Tepes konnte die Hand von ihrem Mann gerade noch zurückziehen, als er Dirk van Kombast zum Abschied eine Kopfnuss geben wollte.

Sie klapperten die umliegenden Häuser im Lindenweg ab, doch die meisten Nachbarn waren entweder nicht zu Hause oder öffneten nicht. Herr Te-

27

pes machte ein enttäuschtes Gesicht. „Ich verstehe das nicht. In Bistrien würde schon längst das ganze Dorf feiern, und die Hälfte der Karpovkaflaschen wäre leer."

„Nachbarn in Deutschland sind eben etwas anderes als in Bistrien", sagte Frau Tepes, als sie zurück nach Hause gingen.

„Deine Kopfnüsse kamen jedenfalls schon mal nicht so toll an", warf Silvania ein.

„So begrüßt man sich nun mal anständig", murrte Herr Tepes.

„In Transsilvanien. Nicht hier."

Herr Tepes schüttelte den Kopf. „Wenn ich nicht mit einem Menschen verheiratet wäre und es besser wüsste, würde ich sagen, die Menschen sind alle verhaltensgestört."

Silvania stöhnte, Daka kicherte, und Frau Tepes gab ihrem Mann einen Klaps auf den Arm. Dann gingen sie ins Haus.

Die Tepes merkten nicht, wie im Reihenhaus nebenan langsam und geräuschlos ein Fenster geschlossen wurde.

Rolltreppe abwärts

Silvania zog sich den Hut gegen die Sonnen-strahlen tiefer ins Gesicht. Ihre Haut glänzte wie ein Speckstein. Frau Tepes hatte ihre Töchter nicht aus dem Haus gelassen, bevor sie sich mit Sonnencreme, Lichtschutzfaktor 100, von oben bis unten eingecremt hatten. Und bevor sie die sieben radikalen Regeln für das Leben von Halbvampiren unter Menschen aufgesagt hatten, die ihre Mutter aufgestellt hatte:

1. Kein Fliegen bei Tageslicht
2. Keine lebenden Mahlzeiten (auch keine Snacks wie Fliegen, Käfer oder Würmer)
3. Ausreichend Sonnenschutz (Sonnencreme, Hut, Sonnenbrille etc.)
4. Haustiere wie Blutegel, Mücken, Zecken und Flöhe bleiben zu Hause
5. Spiegel, Spiegelreflexkameras und Knoblauch sind zu meiden
6. Kein Einsatz übernatürlicher Kräfte (wie Hypnotisieren, Belauschen oder Flopsen)
7. Wöchentliche Dentiküre

Punkt sieben hatten die Zwillinge am Morgen schon hinter sich gebracht. Seit der ersten Dentiküre unter Anleitung einer Kosmetikerin in Bistrien waren

29

die Eckzähne schon wieder ein gutes Stück nachgewachsen. Bei Daka und Silvania wurden sie nie so lang wie bei Herrn Tepes, der die Zähne unter seinem Lakritzschnauzer versteckte. Aber lang genug, um ängstlichen Menschen einen Schrecken einzujagen. Deswegen mussten die Zwillinge sie wöchentlich etwas kürzer feilen. Das einzig Unangenehme daran waren die Quietschgeräusche. Silvania feilte die Eckzähne am liebsten rund, wogegen Daka sie schön spitz feilte. Sie fand, das sah viel cooler aus. Außerdem waren spitze Zähne praktisch, um Plastiktüten aufzubekommen, sich an der Zunge zu kratzen oder eine kleine Zwischenmahlzeit wie eine Fliege aufzuspießen (womit Daka allerdings gegen die zweite radikale Regel verstieß. Aber mit Regeln nahm es Daka grundsätzlich nicht so genau).

Silvania und Daka waren also mit Sonnencreme, frisch gefeilten Zähnen und den sieben radikalen Regeln im Kopf bestens auf den Ausflug in die Stadt vorbereitet. Frau Tepes wollte sich im Stadtzentrum nach einer geeigneten Immobilie für ihren Laden umsehen. Herr Tepes zog es vor, ein Nickerchen im Sarg zu machen.

Sie liefen den Lindenweg entlang. Als sie am Haus Nummer 21 vorbeikamen, sagte Silvania zu ihrer Schwester: „Also, ich fand diesen Dirk van Kombast wirklich nett."

„Nett? Der ist total eklig", meinte Daka.

Silvania verdrehte die Augen. „Du hast keine Ahnung von Männern. Er sieht wahnsinnig gut aus."

„Dafür riecht er wahnsinnig schlecht. Hast du

nicht gemerkt, dass unter seiner Parfümwolke eine Knoblauchfahne lag?"

„Ach, die war doch nur ganz schwach."

„Und wie er uns angeguckt hat mit seinen Katzenaugen." Daka schüttelte sich. „Mir ist der Kompostkerl nicht geheuer."

„Er heißt nicht Kompost, sondern van Kombast. Bestimmt stammt er aus einer Adelsfamilie. Deswegen hat er so gute Umgangsformen."

Daka schnaufte. „Wenn du dich immer so schnell um den Finger wickeln lässt, nur weil dich jemand als hübsche Dame bezeichnet, na dann boi noap."

„Ich lasse mich von niemandem irgendwo herumwickeln!"

„Daka! Silvania! Kommt ihr endlich?" Frau Tepes, die mit schnellen kleinen Schritten ein paar Meter vor den Zwillingen lief, drehte sich um.

Daka und Silvania legten einen Schritt zu. „Wie weit ist es denn noch bis zu dieser U-Bahn? Können wir nicht ins Stadtzentrum fliegen?", stöhnte Daka. Von Bistrien waren es die Schwestern nicht gewohnt, längere Strecken zu laufen. Zum einen war Bistrien viel kleiner als Bindburg, und zum anderen wurde dort geflogen und geflopst, was das Zeug hielt.

„Nein, können wir nicht. Ich sowieso nicht, und ihr auch nicht. Denkt an Punkt eins der radikalen Regeln: Tagflugverbot!"

„Können wir wenigstens bei der radikalen Regel Nummer sechs eine Ausnahme machen und ein Stückchen flopsen?", versuchte es Daka.

Als Halbvampire konnten sich Silvania und Daka

blitzschnell von einem Ort zum anderen bewegen. Es war wie eine Art Beamen. Aber es funktionierte nur bei geringen Entfernungen und war sehr anstrengend. Dafür sehr effektiv.

Elvira Tepes warf ihrer Tochter einen Blick zu, der jede Diskussion ausschloss.

„Okay, okay. Wir laufen und nehmen die U-Bahn", murmelte Daka. „Wie jeder stinknormale Mensch."

Ein paar Meter und Häuserecken weiter und ein paar Minuten später sahen sie das blau-weiße U-Bahn-Haltestellen-Schild. Frau Tepes eilte mit kleinen Tippelschritten auf die Rolltreppe zu, die nach unten führte. Daka folgte ihr, sah dabei aber nach oben. Das hätte sie nicht tun sollen.

„Schlotz zoppo!", rief sie vor Schreck, als sie merkte, dass sich der Boden unter ihren Füßen bewegte. Doch es war zu spät. Daka wedelte mit den Armen, verlor das Gleichgewicht, kippte nach hinten und knallte mit ihren Hinterbacken auf die harte Rolltreppenstufe. „AUA!"

Silvania war vor der Rolltreppe stehen geblieben und sah ihrer Schwester mit großen Augen nach. Sie wollte ihr helfen, aber wagte sich nicht auf die rollende Treppe. Frau Tepes hatte Dakas Sturz mitbekommen und stürmte die Treppe wieder hinauf, um ihrer Tochter auf die Beine zu helfen.

„Was ist? Fährst du runter, oder worauf wartest du?", fragte auf einmal eine brüchige Stimme hinter Silvania.

Silvania fuhr herum. Vor ihr stand ein schlaksiger,

dunkelblonder Junge. Er war vielleicht zwei, drei Jahre älter als sie selbst. „Ich, ähm …“

„Silvania! Los, komm schon, wir fangen dich auf!“, rief in dem Moment Frau Tepes vom unteren Ende der Rolltreppe.

Der Junge zog eine Augenbraue hoch. „Na dann“, sagte er und deutete auf die Treppe.

Silvania wurde heiß und kalt. Bestimmt breiteten sich schon rote Ränder um ihre Augen aus. Die tauchten immer auf, wenn sie nervös war. Silvania schielte auf die glänzenden, silberfarbenen Metallstreifen der Rolltreppe, die unaufhörlich wie aus einem geheimen Reich hervortraten und sich in eine Stufe verwandelten. „Willst du nicht lieber zuerst …“ Sie lächelte dem Jungen zu, obwohl ihr nach Heulen zumute war. Von Rolltreppen hatte sie zwar schon gelesen, aber sie war noch nie auf einer gefahren.

Er schüttelte den Kopf. „Ladys first.“

Silvania nickte schwach. Normalerweise war sie ein Fan von Höflichkeiten, aber manchmal waren sie einfach nur lästig. „Okay, dann … tja, dann gehe ich mal.“ Silvania schob ihren rechten Fuß vor, sodass er beinahe die silbernen Streifen berührte. Sollte sie einfach auf die Stufen hüpfen? Eins wollte sie auf keinen Fall: Wie ihre Schwester vor diesem Jungen auf dem Allerwertesten landen. Da fiel Silvania auf, dass sich der schwarze, breite Gummirand des Treppengeländers ebenfalls nach unten bewegte. Das war *die* Lösung!

Silvania drehte sich zu dem Jungen um, lächelte

ihm zu und kletterte rücklings auf das Treppengeländer. Sie legte sich flach darauf und umklammerte es mit Händen und Füßen. „Tschüss, war nett, dich kennenzulernen", rief sie dem Jungen zu, während sie in die Tiefe fuhr. Der Junge sah ihr mit offenem Mund nach.

Am unteren Treppenende nahmen Frau Tepes und Daka Silvania in Empfang. „Potztausend! Ich habe nicht daran gedacht, dass das eure erste Rolltreppe ist. Entschuldigt", sagte Frau Tepes und strich ihren Töchtern über die blassen Arme. Sie gab ihnen Tipps für alle zukünftigen Rolltreppen. Insgeheim hofften sowohl Daka als auch Silvania, nie wieder so ein Metallmonster betreten zu müssen. Doch das würde in der Großstadt schwierig werden.

Nachdem sie den Fahrkartenautomaten und die U-Bahn-Fahrt erfolgreich gemeistert hatten, wartete beim Ausstieg im Stadtzentrum die nächste Rolltreppe auf sie. Doch hier herrschte so viel Gedränge, dass Daka nicht nach hinten umfallen konnte. Sie sprang mit einem Schlusssprung auf eine Stufe und hielt sich am Taschenriemen des Vordermannes fest, der davon nichts mitbekam. Silvania umklammerte mit beiden Händen das Treppengeländer, während ihre Mutter sie auf die Rolltreppe schob und an der Taille festhielt.

Als die Rolltreppe aus den dunklen Tiefen ins Tageslicht auf dem Rathausplatz fuhr, atmete Frau Tepes tief ein. „Ah! Großstadtluft! Wie habe ich die vermisst."

Daka und Silvania blinzelten. Ihnen hatte es im

U-Bahn-Tunnel eigentlich besser gefallen. Daka hatte sogar ein paar Ratten gesehen und ein klitzekleines bisschen Appetit bekommen.

„Ist es nicht wunderschön!", sagte Frau Tepes und deutete zum Rathaus, als sie auf dem Platz standen. Das Rathaus war ein spätgotisches Gebäude und hatte fünf große Türme. Auf dem höchsten Turm in der Mitte stand eine Ritterstatue.

„Sind das etwa ...", begann Daka und deutete auf den Kopf des Ritters.

„Tauben?", kreischte Silvania.

„Ähm ... was? Ich sehe keine", sagte Frau Tepes schnell, schnappte die Mädchen an der Hand und führte sie durch das Gedränge in die Einkaufsstraße.

Mit den Tauben und den Zwillingen war das so eine Sache. Sie hatten ein Tauben-Trauma. Das kam so: Wie die meisten Vampire lernten auch die Halbvampire Daka und Silvania mit ungefähr fünf Jahren fliegen. Daka ging für ihr Leben gerne in die Luft und tollte herum. Silvania war etwas zurückhaltender. Sie fühlte sich auf dem Boden wohler. Doch am Ende des fünften Lebensjahres flogen die Zwillinge, als wären sie Vollblutvampire. Ihr Papa war sehr stolz auf sie. Mit sechs Jahren flogen sie zum ersten Mal alleine los. Sie flogen eine große Runde, fast bis zur nächsten Stadt. Da kam ihnen ein Schwarm Ringeltauben entgegen. Daka war der Meinung, dass sie und ihre Schwester Vorfahrt hatten. Der Meinung waren die Ringeltauben nicht. Daka und Silvania gerieten mitten in den Schwarm.

Die Tauben, die sehr stolz waren, fühlten sich angegriffen. Sie hackten, kratzten und kackten auf die Schwestern ein. Völlig zerzaust, zerkratzt und beschissen kamen Daka und Silvania mit letzter Kraft zu Hause an. Von da an wussten sie, dass Tauben immer Vorfahrt haben. Und von da an hatten sie ein Tauben-Trauma.

Deshalb zog Frau Tepes ihre Töchter schnell vom Rathaus mit den Tauben weg. Sie führte sie von einem Laden und von einer Sehenswürdigkeit zur nächsten. Wobei die Sehenswürdigkeiten echte Insidertipps waren: „Hier bin ich früher immer mit meiner Oma Eis essen gegangen ... und hier stand im Winter meistens ein Eislaufring ... dort am Springbrunnen habe ich mich immer mit meinen Freundinnen getroffen ... da drüben beim Bäcker gab es den besten Pflaumenkuchen. Ach, da ist ja jetzt ein Fleischer drin ..."

Silvania lächelte und nickte ihrer Mutter zu, während sie aus den Augenwinkeln die Menschen beobachtete. Sie sahen nicht viel anders aus als die Menschen in Transsilvanien. Aber es waren so viele! Dicke, dünne, weiße, farbige, alte, junge, blonde, brünette, hastige, Schlenderer, gut gelaunte, schlecht gelaunte, stinkende und duftende. Silvania fragte sich, ob die Menschen merkten, dass sie anders war. Sie hoffte nicht.

Daka fand, dass die Menschen in Bindburg vollkommen anders aussahen als die Bewohner von Bistrien. Niemand hier hatte dunkelrote oder lilafarbene Augen. Oder orangefarbene, wie der Sänger von *Krypton Krax*. Die Menschen wirkten hektisch, alle hatten es wahnsinnig eilig. Aber im Vergleich zu einem Vampirleben war so ein Menschenleben ja auch ziemlich kurz, da musste man wohl Tempo machen. Vielleicht lag es am Tempo, dass sie alle rosiger aussahen als die Einwohner von Bistrien. Oder am Tageslicht. Bistrien war fast ausschließlich eine unterirdische Stadt. Jahrhundertealte Gänge und Häuser aus Stein befanden sich ein paar Meter unter der Erde. Es gab auch eine Haupteinkaufsstraße wie diese hier, aber die Läden waren viel kleiner. Meistens wurden selbst hergestellte Produkte verkauft: coole Umhänge, Sonnenhüte und Flughauben, aber auch Beißringe, Blutpressen oder extragroße Fleischwölfe. Und dann gab es natürlich den Haustierladen mit jeder Menge Rennzecken, Blutegeln, Flöhen und Mücken.

Daka seufzte. Sie vermisste es jetzt schon, durch die halbdunklen, verschlungenen Gänge von Bistrien zu sausen. Aber sie wollte ihrer Mama nicht den Ausflug verderben und einen Flunsch ziehen. Heimlich steckte sie sich kleine Kopfhörer in die Ohren und hörte *Krypton Krax*. Dazu wackelte sie im Rhythmus mit dem Kopf. Es sah aus, als würde sie nicken. Frau Tepes erzählte. Es war ein harmonischer Ausflug.

Auf dem Rückweg zur U-Bahn entdeckten sie in einer Nebenstraße zur Einkaufsmeile einen kleinen Laden. Bis auf einen alten Stuhl und zerknüllte Zeitungen auf dem Fußboden war er leer. Elvira Tepes blieb wie vom Blitz getroffen stehen. An der Scheibe hing ein Zettel: „Provisionsfrei zu vermieten. Anruf unter: 25984561."

Eine Sekunde später klebte Frau Tepes mit der Nase an der Schaufensterscheibe und murmelte vor sich hin: „Potztausend, genau so etwas habe ich gesucht!" Sie rief sofort mit dem Handy die Nummer an. Wie sich herausstellte, wohnte der Vermieter direkt über dem Laden. Er schlug eine sofortige Besichtigung vor, der Frau Tepes freudig zustimmte.

Der Vermieter, der Frau Tepes sogleich das „Du" anbot und sich als „Peter" vorstellte, obwohl er bestimmt schon über 45 war, wirkte sehr sympathisch. Er hatte graublonde Haare, die sich an der Stirn schon etwas zurückzogen. Um den Mund und auf der Stirn hatte er viele Falten, aber seine Augen funkelten. Vor allem, wenn er mit Elvira Tepes sprach.

Er führte sie im Laden herum, was mit fünf Schritten erledigt war. Der Raum war nicht größer als das Zimmer der Zwillinge. Im hinteren Bereich gab es eine kleine Küche und ein Klo. Das war alles.

Frau Tepes war völlig aus dem Häuschen. Das brachte Peter auch ganz aus dem Häuschen. „Und hier könnte der Verkaufstresen stehen", sagte Elvira Tepes.

„Oh ja, ein wunderbarer Platz für den Tresen", stimmte der Vermieter zu.

„Dort an die Wand würde eine Ausstellungsvitrine passen."

„Eine Vitrine! Tolle Idee!" Peter strahlte.

„An die Wand gegenüber vielleicht ein gemütliches Sofa für die wartende Kundschaft?"

„Das hat Stil", bestätigte Peter.

„Und wo sollen die ganzen Klobrillen hin?", warf Daka ein, die die Kopfhörer aus den Ohren genommen hatte.

„Klobrillen?" Peter blickte fragend zwischen Daka und Elvira hin und her.

Elvira winkte ab. „Dafür finden wir schon eine Lösung. Vielleicht …", Elvira strahlte Peter mit ihren nachtblauen Augen an, „können wir die Einzelheiten des Mietvertrags ja bei einem Kaffee klären?"

„Gute Idee."

Peter und Elvira verabredeten sich. Für die Einzelheiten. Zum Kaffeetrinken. Und für einen „guten Start in ein langes, intensives, glückliches Mietverhältnis", wie Peter hinzufügte.

Frau Tepes war begeistert. Sie hätte nie gedacht, dass sie so schnell so einen tollen Laden finden würde. Und sie dachte nicht eine Sekunde daran, dass Peter Grund für Ärger sein würde. Großen Ärger.

Ein nächtlicher Ausflug

Obwohl Herr Tepes im Keller in seinem Sarg lag, hörte er jedes Wort vom Telefonat seiner Frau mit ihrer Mutter eine Etage weiter oben. Er hörte, wie sie vom tollen Stadtausflug, vom neuen Laden und von einem gewissen Peter, dem reizenden Vermieter, erzählte. Er verzog den Mund, sodass sich sein Lakritzschnauzer aufbäumte, und drehte sich auf die Seite.

Im Gegensatz zu seinen halbvampirischen Töchtern hatte Herr Tepes noch das Gehör einer Fledermaus. Das hatte ziemlich viele Vorteile. Zum Beispiel, wenn man beim Geheimdienst arbeitete oder als Tontechniker. Oder wenn man sich für Klatsch und Tratsch in der Nachbarschaft interessierte. Es hatte aber auch ziemlich viele Nachteile. Manchmal hörte man Sachen, die man gar nicht hören wollte. Zum Beispiel, wenn ein Haus weiter jemand rülpste. Oder aufs Klo ging. Oder wenn sich zwei Leute über etwas Unsinniges stritten. Wie bei einem Radio versuchte Herr Tepes dann sein Gehör auf eine andere Frequenz zu schalten. Doch oft war er zu neugierig.

Herr Tepes arbeitete weder beim Geheimdienst noch als Tontechniker. Herr Tepes war Gerichtsmediziner. Weil er ein sehr guter Gerichtsmediziner war, hatte er eine Stelle am Institut für Rechtsmedizin in Bindburg gefunden. Oder weil er sich freiwillig für die Nachtschichten gemeldet hatte.

Morgen war es so weit: Mihai Tepes trat seine neue Arbeitsstelle an. Für seine Töchter begann das neue Schuljahr. In einer richtigen Menschenschule. Mihai Tepes hoffte, dass die Mädchen keinen Kulturschock bekamen. Sie hatten zwar selbst zur Hälfte menschliches Blut in sich, aber mehrere Stunden so eng von so vielen Menschen umgeben zu sein, würde sicher hart werden. Und das Ganze noch tagsüber, wo jeder vernünftige Vampir schlief!

Mihai Tepes beschloss, seine Töchter auf den schwierigen Tag vorzubereiten und zu stärken. Doch zunächst musste er selbst Kraft und Ruhe gewinnen für den großen Neuanfang. Herr Tepes wusste, was er dazu brauchte: seine Rennzecken! Nichts war erquickender, als den Zecken beim Wettlauf zuzusehen. Mihai Tepes schwang sich aus dem Sarg. Er zündete die beiden dicken Kerzen auf der Orgel an und holte eine verschnörkelte, knallrote Schachtel aus einem schwarzen Holzschrank. Stolz betrachtete er seine Zeckensammlung. Dann holte er mit der Pinzette zwei seiner besten Rennzecken aus der Schachtel, setzte sie an dem Kreidestrich ab, den er als Startlinie gemalt hatte, und rief: „Onu, zoi, trosch!", dann stupste er beide Zecken an, die daraufhin losflitzten. Wenn eine Zecke zurücklag, feuerte Mihai Tepes sie an. Holte sie auf, feuerte er wieder die andere an. Er konnte sich nicht für einen Favoriten entscheiden. Das musste er auch nicht. Die Rennzecken krabbelten gleichzeitig über die Ziellinie.

In Transsilvanien waren Zeckenrennen ein beliebter Wettsport. Mancher Vampir hatte sein Sarg und Gut verloren, weil er auf die falsche Zecke gesetzt hatte. Auf Vampwanisch sagte man dazu: „subkrupt da hirobyx", was so viel hieß wie „vor die Zecke gehen".

Herr Tepes packte seine Rennzecken wieder in die Schachtel. Es war ein gutes Rennen mit gleich starken Gegnern gewesen. Aber alleine im Keller einer Reihenhaussiedlung in Deutschland machte das Zeckenrennen nicht so viel her wie auf dem Marktplatz in Bistrien mit Hunderten mitfiebernden Zuschauern. Vielleicht konnte Herr Tepes nach und nach ein paar Nachbarn für den Zeckenwettsport begeistern.

Er würde später darüber nachdenken. Erst musste er etwas essen, dann musste er sich um seine Töchter kümmern.

Nach dem Abendbrot wischte sich Mihai Tepes die Reste des blutigen Steaks aus dem Lakritzschnauzer und sagte zu seinen Töchtern: „Morgen ist ein sehr wichtiger Tag für euch. Doch bevor der Ernst des Lebens losgeht, machen wir noch einen richtig schönen Ausflug."

Daka rief: „Boibine!"

Silvania rief: „Fumpfs."

Das war Vampwanisch. „Boibine" hieß so viel wie „super" und „Fumpfs" so viel wie „Mist". Die Sprache war uralt, und es gab Tausende von Dialekten und eine komplizierte Grammatik, die noch nicht mal die Vampwanischlehrer in der Schule so richtig beherrschten. In einem normalen Menschenleben konnte man die Sprache nicht perfekt erlernen, dafür müsste man schon so alt wie ein Vampir werden.

Nach Sonnenuntergang trafen sich Mihai Tepes, Daka und Silvania auf dem Dach des Reihenhauses. Frau Tepes war, genau wie Silvania, nicht besonders glücklich über den Ausflug. Aber sie wusste, dass sie ihrem Vampir-Ehemann und ihren halbvampirischen Töchtern das Fliegen nicht ganz verbieten konnte. Das wollte sie auch nicht. Sie würde es sich schließlich auch nicht gefallen lassen, wenn ihr jemand das Laufen oder Schwimmen verbieten würde. Außerdem, ganz insgeheim, bewunderte sie Mihai, Silvania und Daka für diese Fähigkeit. Sie fand, es sah wahnsinnig verwegen aus, wenn sie sich in die Lüfte erhoben. Vor allem bei Mihai. Deshalb stand Elvira Tepes auch an der Terrassentür, während ihr Mann und ihre Töchter aufs Dach stiegen. Sie wollte den Abflug nicht verpassen.

„Müssen wir unbedingt von hier aus losfliegen? Ist das nicht ein bisschen hoch?", fragte Silvania und lugte am Rand nach unten auf die Terrasse. Silvania war noch blasser als sonst, und statt einem ihrer damenhaften Hüte hatte sie eine Fliegermütze auf.

Daka federte von einem Bein aufs andere. „Silvania hat sch…sch…sch…Schiss!"

Daka hatte recht. Silvania hatte Angst vorm Flie-

43

gen. Zumindest seit ihrer unvergesslichen Begegnung mit den Tauben. Und seit sie fünf Kilo zugenommen hatte.

„Du musst deiner Flugangst mutig entgegentreten, Silvania", rief Mihai Tepes.

„Ich bin einfach zu schwer zum Fliegen", erwiderte Silvania trotzig.

„Gumox! Es gibt zu faul zum Fliegen, zu blöd zum Fliegen, aber zu schwer zum Fliegen gibt es nicht. Meine Schwippschwägerin Luda aus Oklahoma bringt über 100 Kilo auf die Waage und fliegt wie ein Engel. In ihrer Jugend war sie mit der Nationalmannschaft beim Synchronfliegen sogar Weltmeisterin."

„Ich weiß." Silvania hatte die Geschichte von Schwippschwägerin Luda bestimmt schon hundertmal gehört. Aber das machte es auch nicht besser.

„Außerdem bist du überhaupt nicht zu schwer. Du machst es dir nur schwer. Dagegen hilft nur eins: üben, üben, üben. Also – alle zum Abflug bereit?" Herr Tepes stellte sich an den Dachrand, breitete die Arme aus und lehnte sich leicht nach vorne. Daka und Silvania taten es ihm gleich. „Und denkt daran: Ältere Vampire, Tauben, Flugzeuge und UFOs haben immer Vorfahrt."

Daka nickte, während Silvania auf ihre Knie sah, die zitterten. Sie fasste sich kurz an ihre Kette, die sie, seit sie denken konnte, um ihren Hals trug und die ihr Glücksbringer war. In dem Anhänger daran war ein Bild von Oma Zezci und etwas Heimaterde. Das beruhigte.

Herr Tepes nahm Silvanias Hand und drückte sie. „Onu, zoi, trosch, und los!"

FUSCH!, sausten drei schwarze Gestalten in den dunkelblauen Nachthimmel, von dem sie sich kaum abhoben. Man musste schon sehr genau hinsehen, wenn man sie erkennen wollte, so schnell, lautlos und gut getarnt waren sie. Wenn man zum Beispiel den ganzen Abend still und heimlich auf der Terrasse des Reihenhauses Nummer 21 gesessen und die Augen schon an die Dunkelheit gewöhnt hatte, konnte man die drei Tepes am Himmel vielleicht erkennen. Man musste sich aber wirklich genau im richtigen Moment gut konzentrieren. Was Dirk van Kombast versuchte.

Mihai Tepes und Daka zischten wie zwei Raubvögel im Sturzflug durch die Nacht. Silvania flog wie eine Hummel, die ihren Saugrüssel zu lange in ein Schnapsglas gehalten hatte. Sie hüpfte über Luftlöcher hoch und runter und kam nur halb so schnell voran wie die anderen beiden. „Ich hasse fliegen", murmelte sie vor sich hin. „Das macht doch kein Mensch. Warum muss ich das machen?" Doch dann fielen ihr die U-Bahn-Fahrt und die Rolltreppe wieder ein. Manchmal war es vielleicht doch ganz gut, eine Alternative zu haben.

Sie legte die Arme an und presste das Kinn auf die Brust, um schneller zu fliegen und die anderen einzuholen. Herr Tepes, der ganz lässig auf dem Rücken flog und die Arme hinter dem Kopf verschränkt hatte, nickte Silvania anerkennend zu. Daka war gerade mitten im Looping. Den einfachen Looping hatte sie schon ziemlich gut drauf und konnte ihn sogar aus dem Stand. Doch beim doppelten Looping hatte sie bis jetzt entweder immer zu viel oder zu wenig Schwung. Aber bis zur nächsten Freestyle-Fly-Meisterschaft in Transsilvanien war zum Glück noch genug Zeit zum Üben.

Nachdem sie Sturzflüge, Ausweichmanöver, Kurvenlage und Landen geübt hatten, sagte Mihai Tepes: „Lasst uns in der großen Tanne dort drüben abhängen." Er flog zur Tanne und hängte sich kopfüber mit den Beinen an einen dicken Ast. Silvania und Daka hängten sich an einen Ast gegenüber. Vampire liebten es, wenn ihnen das Blut in den Kopf stieg – auch wenn ihnen dabei die Tannennadeln in die Kniekehlen piksten.

„Meine Lieblingstöchter", begann Herr Tepes mit ernster Miene. „Wir sind weit von der Heimat entfernt, aber wir tragen sie in uns, und keiner kann sie uns nehmen. Morgen beginnt für euch ein neues Leben in einer Welt voller Menschen. Aber ihr braucht keine Angst zu haben. Wer seine Heimat und seine Wurzeln kennt und liebt, den haut nichts so schnell aus der Bahn."

Daka nickte ernst, und Silvania sah nach oben auf ihre Zehenspitzen. Die Mädchen kannten solche Reden von ihrem Papa schon. Als zweiter Sohn einer ehrwürdigen Vampirfamilie aus Bistrien waren ihm seine Herkunft und Heimat sehr wichtig.

„Und jetzt", sagte Herr Tepes und breitete die Arme aus, „singen wir das schöne Lied ‚Transsilvania, rodna inima moi'."

Daka unterdrückte ein Stöhnen. „Transsilvania, rodna inima moi" – „Transsilvanien, Heimat meines Herzens" – hatte vierzehn Strophen.

Silvania warf ihrer Schwester einen Blick zu und zuckte die Schultern. Da mussten sie durch. Sie wussten, dass ihr Vater nicht vor dem letzten Ton der letzten Strophe zufrieden war. Aber eigentlich war es ein schönes Lied, und Mihai Tepes bekam immer einen feuchten Glanz in den Augen, wenn er es mit seinen Töchtern sang. Silvania und Daka wurde dann auch ganz schummerig zumute. Dazu reichten aber auch fünf Strophen.

Als der letzte Ton verklungen war, wischte sich Mihai Tepes eine Träne aus dem Augenwinkel. War es nicht ein ungeheures Glück, solche Töchter zu haben? Sie würden auch in Deutschland prächtige Vampire … oder zumindest Halbvampire werden. Da war sich Mihai Tepes sicher. Es lag ihnen nun mal im Blut.

Flugpost

Auch in der zweiten Nacht fiel Silvania und Daka das Einschlafen schwer. Es war einfach zu dunkel. Sie hatten extra das Licht angelassen. Daka kniete vor dem Aquarium und spielte mit Karlheinz, ihrem Lieblingsblutegel. Silvania lackierte sich die Fingernägel zartlila, wie sie es in der Mädchenzeitschrift gesehen hatte. Am liebsten hätte sie auch die Schminktipps ausprobiert. Aber das war nicht so einfach. Ihr Spiegelbild war so undeutlich wie eine Nebelgestalt. Bei Daka war es noch schlimmer. Ihr Vater war gar nicht im Spiegel sichtbar. Wie gesagt, Vampirsein hat nicht immer Vorteile.

Auf einmal kam ein dumpfes Geräusch von der Fensterscheibe, als wäre ein Softball davorgeknallt. Daka blickte auf. „Du hast Post."

Silvania wedelte mit der lackierten Hand, öffnete das Fenster mit der anderen und nahm der Fledermaus, die etwas angeschlagen auf dem Fensterbrett lag, einen Zettel aus den Krallen. Sie gab der Fledermaus eine Motte zum Fressen, die sich im Spinnennetz neben dem Fenster verfangen hatte, und schloss das Fenster wieder. Dann setzte sie sich mit dem Zettel auf ihr Bett.

Daka beobachtete ihre Schwester aus den Augenwinkeln. „Na, was schreibt dein Liebster?"

„Bogdan ist nicht mein Liebster!", fauchte Silvania zurück. „Und er schreibt nur, dass in Bistrien schönes Wetter ist, dass in der Schule Geschichte ausgefallen ist, dass seine kleine Schwester eine Fliege verschluckt hat und dass … dass …"

„Dass er dich ganz furchtbar vermisst!" Daka fasste sich theatralisch ans Herz.

Silvania verschränkte die Arme. „Na und? Ich vermisse ihn aber nicht."

„Spätestens morgen, wenn dir niemand mehr die Schultasche trägt, dir bei Tierkunde vorsagt und dich beim Wettfliegen gewinnen lässt, wirst du ihn vermissen."

„Werde ich nicht. Außerdem gibt es morgen keine Tierkunde und kein Wettfliegen mehr. Morgen", sagte Silvania und atmete tief ein, „fängt ein neues Leben an."

„Schlotz zoppo! Das hatte ich ganz vergessen. Wir haben ja jetzt nur noch so langweilige Fächer wie Mathe, Deutsch und Geschichte. Und im Sport müssen wir bestimmt solche komischen Sachen machen wie Geräteturnen oder Gymnastik. Wäh!" In Transsilvanien war Daka immer gerne in die Schule gegangen. Sie hatte die Vorahnung, dass sich das in Deutschland ändern würde. Wehmütig dachte sie an die Abschlussparty in Oktavians Gruft zurück. Ihre ganze Klasse war gekommen, sogar ihre Klassenlehrerin kam kurz vorbeigeflogen. Dakas Freestyle-Fly-Verein und Silvanias Saikato-Gruppe waren auch da. Es war das schönste und zugleich traurigste Fest gewesen, das Daka erlebt hatte. Sicher, sie würden in den Ferien nach Bistrien fliegen und alle wiedersehen. Aber es würde nicht dasselbe sein wie dort zu leben.

Silvania ließ sich mit dem Rücken auf ihr Bett fallen. „Ich weiß gar nicht, was du hast. Es ist doch toll: Wir können noch einmal ganz neu anfangen. Wer weiß, was wir für Freunde finden!"

Daka musterte ihre Schwester mit zusammengezogenen Augenbrauen. „Das ist nicht dein Ernst, oder?"

„Doch."

„Also, ich trainiere lieber fliegen, damit ich bald alleine nach Bistrien zurückfliegen kann."

„Das ist jetzt aber nicht dein Ernst."

„Klar. Lange halte ich es hier nicht aus."

„Ich schon. Und wenn du abhaust – ich finde bestimmt Freunde hier."

„Du willst echte Menschen als Freunde?"

„Ja. Und ich rate dir eins, Daka: Vermassele es morgen nicht gleich."

„Ich? Wie kommst du denn darauf?"

Im Fieberwahn

Als Armin Schenkel am Montagmorgen das Garagentor von Haus Nummer 24 öffnete, fühlte er sich noch etwas schwach auf den Beinen. Die ganze letzte Woche hatte er mit Grippe im Bett gelegen. Doch er war der Meinung, dass die Firma, für die er zusammen mit 2550 weiteren Mitarbeitern arbeitete, nicht länger ohne ihn auskam. Außerdem fühlte er sich dank der Pflege seiner Frau Janina schon besser. Und außerdem kannte er nach einer Woche alle fünf CDs mit Kinderliedern von seinem vierjährigen Sohn Linus auswendig. Es war Zeit, im Büro nach dem Rechten zu sehen.

Armin Schenkel setzte sich in seinen roten Kombi und fuhr rückwärts langsam aus der Garage auf den Lindenweg. Er hatte den rechten Arm um die Lehne des Beifahrersitzes gelegt und sah aufmerksam nach hinten. Im Haus gegenüber ging die Wohnungstür auf, und zwei Mädchen, er schätzte sie auf zwölf oder 13, kamen aus dem Haus. Das mussten die neuen Nachbarn sein. Janina hatte erzählt, dass sie eine Flasche Schnaps vorbeigebracht hatten, und Linus behauptete steif und fest, sie hätten eine riesengroße schwarze Badewanne.

Herr Schenkel nahm die Mädchen nur noch aus den Augenwinkeln wahr, denn er musste sich auf die beiden Pfosten der Ausfahrt konzentrieren. Schließlich wollte er sich keine Rallyestreifen an seinen Kombi machen. Zum Ausfahrtpfosten links war genügend Abstand. Zum Ausfahrtpfosten rechts auch. Die Mädchen hüpften die drei Treppenstufen herunter. Zum Ausfahrtpfosten links war ausreichend Platz. Zum Ausfahrtpfosten rechts ebenso. Ein Mädchen stand auf dem Bürgersteig. Das andere Mädchen flog. Zum Ausfahrtpfosten links –

ES FLOG?!?

Herr Schenkel ließ Ausfahrtpfosten Ausfahrtpfosten sein und starrte die Mädchen direkt an. Er sah gerade noch, wie sich das etwas fülligere Mädchen an ein Bein des fliegenden Mädchens hängte und es zurück auf den Boden zog. Armin Schenkel blinzelte, und beide Mädchen standen auf dem Bürgersteig. Sie lächelten ihm zu und grüßten höflich.

Herr Schenkel sah sie einen Moment mit offenem Mund an. Dann schüttelte er den Kopf, rieb sich die Schläfen, legte den Vorwärtsgang ein und fuhr wieder in die Garage. Das Büro musste warten. Die Grippe war schlimmer, als er gedacht hatte.

Der normale Schulwegwahnsinn

Die Straßenbahn Nummer 14 fuhr ganz vom Norden der Stadt bis zum Süden. Sie begann in den Vorstadtgebieten, schlängelte sich durch die belebte Innenstadt und endete in den schicken Wohngegenden an den großen Seen im Süden.

Daka und Silvania mussten nur sechs Stationen fahren bis zur Ringelnatzstraße. Das hatte ihnen Frau Tepes mindestens sechsmal gesagt. Am liebsten hätte sie ihre Töchter zur Schule gebracht. Aber sie ahnte, dass das für zwölfjährige Mädchen peinlich war. Außerdem hatte sie Peter, der Vermieter ihres Klobrillenladens, großzügig zum Brunch in einem der besten Lokale der Stadt eingeladen. So etwas sagte man nicht ab. Und für so etwas brauchte man die richtige Garderobe, die Elvira Tepes sich noch besorgen wollte.

Silvania und Daka saßen mit verschränkten Armen nebeneinander in der Straßenbahn und sahen stur geradeaus. Daka fiel es schwer, nach der schlaflosen Nacht die Augen offen zu halten. Silvania war dagegen seit dem morgendlichen Flugversuch ihrer Schwester hellwach. Die Straßenbahn ruckelte, und die Dame ihnen gegenüber, die einen kleinen Hund auf dem Schoß hielt, tätschelte ihn. „Ruhig, Fuffi."

„Du hast versprochen, dass du es nicht vermasselst", zischte Silvania ihrer Schwester zu.

Daka schnaufte. „Nur, weil ich mal drei Sekunden geflogen bin."

Fuffi und sein Frauchen spitzten die Ohren.

„Und was ist *damit*?" Silvania hob den Arm. In ihrem roten Pulli war direkt unter der Achsel ein daumengroßes Loch.

Daka winkte ab. „Das sieht doch sowieso keiner. Was kann ich dafür, wenn du gleich so hysterisch reagierst und dich an mein Bein hängst, dass dein enger Pulli kracht?"

Die Frau und Fuffi sahen gespannt von Daka zu Silvania.

Silvania zog eine Schnute. „Ach, jetzt ist es mein Fehler." Dann sah sie an ihrem Oberkörper herab. „Findest du echt, der Pulli ist zu eng?"

Die Frau betrachtete Silvanias roten Pullover und spitzte die Lippen. Fuffi streckte die Zunge heraus.

„Nein. Nur zu eng zum Sport." Daka fuhr sich durch ihre Stachelfrisur und ließ den Blick durch die Straßenbahn schweifen.

Silvania holte eine Tomate aus der Tasche und polierte sie an ihrem Ärmel.

Daka warf ihr einen entgeisterten Blick zu. „Was willst du denn DAMIT?"

„Essen natürlich."

„So etwas isst du? Seit wann das denn?"

„Seit ich Vegetarierin bin."

„Hä? Du bist *was*?"

„Ich esse kein Fleisch mehr."

Fuffis Frauchen nickte verständnisvoll.

„Kein Fleisch? Wie willst du denn dann satt werden? So ganz ohne Blut …" Daka spürte den Blick der Frau gegenüber und fügte hinzu: „Und ohne Fett, Eiweiß und Eisen?"

„Millionen von Vegetariern verhungern nicht."

„Ja, aber die sind auch keine – Aua!", rief Daka, als sie Silvanias Fußtritt spürte.

Fuffis Frauchen blickte verstört zwischen Daka und Silvania hin und her.

„Du bist mir zu aggressiv", knurrte Daka, stand auf und ging in den mittleren Teil der Straßenbahn. Sie stellte sich auf die kreisförmige Verbindungsfläche, die sich bei jeder Kurve drehte, und tat, als würde sie surfen.

Silvania rollte die Augen und sah aus dem Fenster. Wann würde ihre Schwester jemals mit den Kinderspielen aufhören?

„Albertplatz", säuselte eine Frauenstimme aus den Lautsprechern, und im nächsten Moment bremste die Bahn abrupt. Daka, die gerade freihändig gesurft hatte, segelte durch die Straßenbahn und knallte mit voller Wucht auf den Fahrscheinentwerter.

„Fumpfs!", rief sie und fasste sich an den Ellbogen, mit dem sie vor den Entwerter gefallen war. Dann rieb sie sich die Stirn, mit der sie gegen die Metallstange gestoßen war.

Silvania sprang mit der Tomate in der Hand auf. „Daka! Hast du dir wehgetan?" Mit ein paar Schritten war Silvania bei ihrer Schwester und spuckte dreimal hintereinander auf den Ellbogen, wie es in Transsilvanien Brauch war.

Davon wusste Fuffis Frauchen nichts. Sie beobachtete die Mädchen mit großen Augen. Die Straßenbahn fuhr wieder an.

„Ich hasse Rolltreppen, U-Bahnen und Straßenbahnen." Daka biss die Zähne vor Schmerzen zusammen. „In Bistrien würden wir jetzt noch schön in unseren Särgen liegen und dann gemütlich zur Schule fliegen."

„Pssst!", machte Silvania und sah sich nach allen Seiten um.

„Wo kam eigentlich die Frauenstimme eben her?", fragte Daka und spähte zum Fahrerhäuschen. „Da vorne sitzt doch ein Mann."

Silvania zuckte die Schultern. „Vielleicht hat er Stimmbruch."

„Nächster Halt Ringelnatzstraße", säuselte da die Frauenstimme schon wieder aus dem Lautsprecher.

Silvania sah ihre Schwester alarmiert an. „Ringelnatzstraße?"

„Wir müssen raus!", rief Daka. „STOPP! Brrrr! ANHALTEN!" Alle Fahrgäste sahen sich nach Daka um. Daka starrte zurück und zuckte die Schultern. „Was ist? Wir wollen hier aussteigen."

Auf einmal tauchten Fuffi und sein Frauchen neben den Schwestern auf. Sie musterte die beiden mit ernstem Blick, dann hob sie langsam den Finger und drückte auf eine rote Taste an einer Stange bei der Tür. Die Straßenbahn hielt an, und die Tür öffnete sich.

Daka kratzte sich am Kopf. „Ach so, na ja, ich wollte nur ganz sichergehen."

Die Frau ließ Fuffi zuerst aussteigen. Er hatte es

nicht eilig. Sein Frauchen auch nicht. Als Silvania endlich an der Tür stand und aussteigen wollte, zischte die Tür und schob sich langsam wieder zu.

„Die Tür! Schnell!", rief Daka und gab ihrer Schwester einen Schubs. Etwas heftiger als beabsichtigt.

Silvania, die noch immer die Tomate in der Hand hielt, stürzte wie eine Pappfigur nach vorne, durch den Türspalt und auf den Radweg, der neben den Straßenbahnschienen verlief.

Klingelingeling! machte es, und ein Radfahrer zischte an ihr vorbei.

„Mann, das is'n Radweg!", rief der nächste Radfahrer.

Silvania torkelte benommen von links nach rechts, während die Radfahrer um sie herum Slalom fuhren.

Klingelingeling!

„Runter vom Radweg!"

„Achtung!"

„Platz da!"

Silvania drehte sich hektisch im Kreis. Von überall her kamen Radfahrer. Es war wie auf einer Autobahn. *Wusch!*, schossen die Zweiräder an ihr vorbei. Manche so haarscharf, dass Silvania den Luftzug spürte.

„Silvania, hierher!", rief Daka. Sie stand auf dem Bürgersteig.

Wie hatte sie das gemacht?, wunderte sich Silvania. Sie war doch wohl nicht etwa am helllichten Tag mitten in der Stadt geflogen? Oder hatte geflopst? Silvania sah aus den Augenwinkeln, wie ein Radfahrer mit Kinderanhänger auf sie zusteuerte. Ein Schwertransporter! Sie musste hier weg. Sofort.

Sie hüpfte zwischen ein paar Radfahrern hin und her, dann nahm sie alle Kraft zusammen und setzte zum großen Schlusssprung auf den Bürgersteig an.

„Onu, zoi, trosch", flüsterte sie.

Zack! sprang sie.

Wumms! machte es.

„*AAAH!*", schrie jemand.

Silvania blickte auf und sah in das puterrote Gesicht eines Mannes. Seine dünnen Haare waren rotblond, seine Wimpern hell, und er sah Silvania mit weit aufgerissenen Augen an. „M-e-i-n-e F-ü-ß-e", zischte der Mann durch die Zähne hindurch.

„Wie bitte?"

„Du stehst auf meinen Füßen!"

„Oh, Verzeihung." Silvania trat zurück.

Der Mann starrte auf die Tomate in Silvanias Hand. Sie war zur Hälfte zerquetscht. Er starrte auf sein hellblaues Hemd. Dort war die andere Tomatenhälfte.

„Oh, das tut mir leid, ich …" Silvania holte ein zerknülltes Taschentuch hervor und rubbelte am hellblauen Hemd. Der münzengroße Fleck wurde bierdeckelgroß.

„Lass das!", rief der Mann und fügte dann ruhiger hinzu: „Ich mach das schon. Pass das nächste Mal besser auf." Dann wandte er sich um und verschwand im Stechschritt zwischen den anderen Fußgängern.

Silvania sah ihm nach und seufzte.

„Mann, das sah vielleicht cool aus!" Daka stand neben Silvania. „Wie du gesprungen bist, und dann plötzlich – *wusch!* – voll in den Typen rein. Der hat vielleicht geguckt! Und dann die Tomate – *splash!* –, das war echt boibine."

„Von wegen boibine. Das war großer Fumpfs."

„Ach was, den Mann siehst du nie wieder. Außerdem hast du dich entschuldigt."

Silvania warf den Rest ihrer Tomate in den Mülleimer. „Oh nein!" Sie zog ihren Pulli von sich weg und starrte auf einen Fleck.

„Das sieht man auf deinem roten Pulli so gut wie gar nicht. Aber dein Hut …"

„Was ist damit?" Silvania riss sich ihren roten Strohhut mit der schwarz-rot gepunkteten Schleife vom Kopf. Der Rand war an einer Seite nach oben gebogen, und in der Mitte war der Hut zusammengedrückt, sodass er wie ein Sombrero aussah. „Mein schöner Hut!", klagte Silvania. „Jetzt sehe ich aus wie eine mexikanische Feldarbeiterin."

„Es gibt Schlimmeres. Zum Beispiel in der Sonne zu Staub zerfallen. Also setz das Ding lieber wieder auf."

Ein paar Sekunden betrachtete Silvania traurig ihren Hut, dann setzte sie ihn wieder auf und zog ihn tief ins Gesicht.

Sie waren noch nicht mal in der Schule und hatten schon Löcher im und Tomatenflecken auf dem Pulli, Beulen an der Stirn, blaue Flecken am Ellbogen und einen zerknautschten Hut. Sah so der Beginn eines wunderbaren Schultages aus?

Willkommen in der 7b

Martin Graup kam mit verkniffenem Gesicht aus der Lehrertoilette. Er hatte zehn Minuten an dem Tomatenfleck gerubbelt. Der Fleck ging nicht weg. Und das ausgerechnet heute! Am ersten Schultag des neuen Schuljahres. Hätte er wenigstens eine Krawatte dabei, dann könnte er den Fleck dahinter verstecken. Aber in Hemd und Jeans wollte er ganz lässig erscheinen. Nicht nur vor den Schülern, auch vor Katrin Renneberg, der neuen Kollegin.

Martin Graup war seit sechs Jahren Lehrer für Geografie und Geschichte an der Gotthold-Ephraim-Lessing-Schule. Er hatte Geografie und Geschichte studiert, weil er in den Fächern in der Schule immer eine Eins gehabt hatte. Und er war Lehrer geworden, weil ihm sonst nichts eingefallen war, was man mit diesen Fächern werden konnte. Er war zufrieden mit seinem Job. Manchmal machte er sogar Spaß.

Seit einem Jahr war er Klassenlehrer der 7b. Martin Graup nahm einen Schluck vom lauwarmen Kaffee und studierte seinen Stundenplan. Dann überflog er den Zettel mit den kurzen Informationen zu den beiden neuen Schülerinnen, die in die 7b kamen. „Silvania und Dakaria Tepes", las er leise. Seltsame Namen. Und auch noch Zwillinge. Hoffentlich keine eineiigen, die Schabernack und lustige Verwechslungsspiele treiben wollten!

60

Es klingelte einmal. Martin Graup stellte seine Tasse ab, klemmte sich die Mappe unter den Arm und schritt im Stechschritt durch das Lehrerzimmer, wobei er unauffällig nach Katrin Renneberg Ausschau hielt. Doch sie war nicht zu sehen. Wahrscheinlich war sie schon im Sportgebäude.

Mit ernster Miene betrat Martin Graup den Unterrichtsraum. „Guten Morgen!", rief er laut. Ein Tomatenfleck durfte nicht seine Autorität untergraben.

„Morgen", nuschelten einige Schüler im Chor zurück, andere sahen nur kurz auf.

„Guten Morgen, Herr Graup", sagte Rafael Siegelmann.

Martin Graup nickte ihm zu und lächelte kurz. Ach, wenn doch nur alle Schüler wie Rafael wären!

Herr Graup legte seine Tasche auf den Lehrertisch, packte ein Heft und einen Stift aus und setzte sich lässig mit einem Bein auf den Tisch. Er ließ seinen Blick über die Klasse schweifen. Mit der 7 b hatte er es gut erwischt. Es gab zwar Lucas Glöckner, einen Rabauken, Sally Kellermann, eine Quasselstrippe, und Ludo Schwarzer, einen seltsamen Einzelgänger, aber dafür war der Rest der Klasse angenehm unauffällig und gehorsam. So, wie es Martin Graup gefiel. Und dann gab es noch Helene Steinbrück. Sie war nicht nur wahnsinnig begabt, sondern auch wahnsinnig hübsch. Manchmal kam sie ihm auch einfach nur wahnsinnig vor. Wenn sie minutenlang mit weit aufgerissenen Augen vor sich hinstarrte. Oder wenn sie sich mit Kugelschreiber Totenköpfe oder blutrünstige Monster auf den Arm malte. Helene Steinbrück konnte sehr gut malen. Helene hatte gute Noten. Sie machte auch keinen Ärger. Aber Herr Graup fand einfach keinen Draht zu ihr.

Es klingelte dreimal hintereinander. Das Zeichen für den Unterrichtsbeginn. In dem Moment flog die Tür auf, und zwei Mädchen stürmten in den Raum. Ein Mädchen hatte eine Frisur, als wäre der Föhn explodiert. Sie war komplett schwarz gekleidet, ihre Strumpfhose hatte Löcher, und sie trug eine große Sonnenbrille. Das andere Mädchen hatte eine Art Sombrero auf und trug einen schwarzen Rock mit roten Glitzerstreifen. Das Mädchen kam Herrn Graup merkwürdig bekannt vor.

„Entschuldigung", sagte das Mädchen mit der Explosionsfrisur, „ist das hier die 7 b?"

Herr Graup nickte. „Und ihr seid …"

„Dakaria Tepes, kurz Daka." Mit einer blitzschnellen Bewegung schoss der Arm des Mädchens vor, und sie gab Herrn Graup eine Kopfnuss. Das andere Mädchen stöhnte.

Herr Graup wich erschrocken zurück. „Also, das ist ja …"

Jemand kicherte in der Klasse.

„Entschuldigen Sie meine Schwester. Mein Name ist Silvania Te-." Silvania starrte mit offenem Mund auf den roten Fleck auf Herrn Graups hellblauem Hemd. „Oh. Oh. Oh." Silvania schob sich langsam hinter ihre Schwester.

„Kennen wir uns nicht schon?" Herr Graup runzelte die Stirn.

62

„Auf keinen Fall", erwiderte Silvania.

Daka nickte heftig. „Silvania kennt überhaupt niemanden. Sie ist total kontaktscheu."

Plötzlich schossen Herrn Graups Augenbrauen in die Höhe. „TOMATE!", rief er triumphierend aus und deutete mit dem Zeigefinger auf Silvania.

Silvania verkroch sich noch mehr hinter ihrer Schwester und lächelte entschuldigend.

Alle Schüler der Klasse 7b hatten Fragezeichen im Gesicht. Sogar Rafael Siegelmann. Und das kam äußerst selten vor. Helene Steinbrück musterte die Mädchen neugierig. Als das Mädchen mit dem Sombrero ihr einen Blick zuwarf, lächelte sie ihr zu.

Herr Graup fing sich wieder. Er räusperte sich und zeigte auf eine leere Bank links außen. „Dann setzt euch mal."

Daka und Silvania tippelten schnell zur Bank. Sie waren froh, nicht mehr vor der Klasse zu stehen, wo alle sie anstarrten. Sie stellten ihre Schultaschen neben der Bank ab und zogen fast gleichzeitig die Stühle zu sich heran. Gerade als sie sich hinsetzten, erklang ein lautes, peinliches Geräusch.

FUUUURRZZZZ.

Daka fuhr zu Silvania herum und sah sie mit großen Augen an.

Silvania fuhr zu Daka herum und starrte sie mit offenem Mund an.

Durch die Klasse ging ein Kichern und Prusten.

„Herr Graup!", rief Lucas Glöckner, der hinter

den Zwillingen saß. Er wedelte mit der Hand vor der Nase. „Darf ich ein Fenster aufmachen? Bitte!" Er hustete und röchelte, als stünde er kurz vor einer Rauchvergiftung.

Herr Graup, der etwas blass um die Nase geworden war, nickte Lucas zu. Er betrachtete Silvania und Daka und schüttelte kaum merklich den Kopf. „Tja dann: Herzlich willkommen in der 7 b!"

Heimweg mit Schrecken

Sechs qualvolle Stunden später liefen Silvania und Daka mit hängenden Köpfen den Lindenweg entlang. „Das war der schlimmste Schultag meines Lebens", sagte Silvania.

„Meiner auch. Obwohl – wir haben ja noch ein paar vor uns", erwiderte Daka.

„Meinst du, es wird noch schlimmer?" Silvania sah ihre Schwester mit großen Augen an.

Daka zuckte die Schultern. Dann starrte sie stur vor sich hin. „Das mit den Pupsgeräuschen war bestimmt dieser Lucas. Der sieht schon so aus, als hätte er solche Furzideen."

Silvania nickte. „Aber das ist egal. Alle denken, wir waren es. Und dann musst du auch noch in Mathe einschlafen und schnarchen."

„Ich schnarche nie. Ich atme nur ein bisschen lauter. Außerdem bist du in Deutsch eingeschlafen und hast im Schlaf geredet."

„Gumox!" Silvania verschränkte die Arme und drehte den Kopf weg. Dann schielte sie wieder zu Daka und fragte leise: „Was habe ich denn erzählt?"

„Och, irgendwas mit Bockwurst und Schweinebauch. Ein bisschen gesabbert hast du übrigens auch."

„Oh nein, wie peinlich! Und das alles vor Helene."

„Meinst du die Blonde, die immer die richtige Antwort wusste?"

Silvania nickte. „Sie ist wunderschön, wie ein Engel. Ganz anders als die Mädchen in Bistrien."

„Und ihre Augen sind richtig hellblau und klar."

„Ja, die glitzern wie das Meer in der Sonne. Und wenn sie geht, bewegen sich ihre Haare wie goldener Weizen im Wind", sagte Silvania versonnen. Sie wusste nicht, ob ihr das selber eingefallen war oder ob sie das in einem ihrer Bücher gelesen hatte.

„Hast du den coolen Totenkopf gesehen, den sie sich auf den Arm gemalt hat?", fragte Daka.

Silvania nickte. „Sie ist bestimmt total kreativ."

„Und sie riecht auch gut. Fast ein bisschen modrig", fand Daka.

Eine Weile sagte keine der Schwestern etwas. Dann seufzte Silvania. „Wäre es nicht toll, eine Freundin wie Helene zu haben?"

„Klar. Aber das können wir jetzt erst mal vergessen. Oder meinst du, ein Mädchen wie Helene hätte gerne zwei furzende, schnarchende, sabbernde Schwestern als Freundinnen?"

Silvania biss sich auf die Lippen. „Wohl eher nicht." Sie tastete nach der Kette an ihrem Hals, um sich zu beruhigen. Sie tastete links am Hals. Sie tastete rechts am Hals. Sie tastete im Nacken, sie tastete auf dem Brustbein. Nichts! „MEINE KETTE!", rief Silvania. „Meine Kette ist weg!"

„WAS?" Daka tastete ihre Schwester sofort wie eine Polizistin am ganzen Körper ab. „Sie muss doch irgendwo sein."

„Oh nein! Wenn sie wirklich weg ist, dann ...“, jammerte Silvania. Sie schnappte nach Luft, bekam rote Ringe um die Augen, und ihre Hände begannen zu zittern.

Sie wollte sich gar nicht ausmalen, was passierte, wenn sie die Kette nicht wiederfanden. Zum einen war es eine besonders wertvolle und schöne Kette. Sie war aus Gold, und der ovale, mit verschnörkelten Gravuren verzierte Anhänger ließ sich aufklappen. Zum anderen hatte es mit diesem Anhänger etwas Besonderes auf sich. Er war nicht nur schön, sondern lebenswichtig für Silvania. In dem Anhänger waren ein Bild von Oma Zezci und etwas Heimaterde. Oma Zezci sah auf dem Bild richtig hübsch und zwanzig Jahre jünger aus (der Maler hatte seiner Fantasie freien Lauf gelassen), und Silvania mochte das Bild, aber lebenswichtig war es nicht. Das war die Heimaterde.

Denn ohne Heimaterde in unmittelbarer Nähe wurde jeder Vampir und jeder Halbvampir immer schwächer. Silvania wusste, dass sich die Krankheit eine Woche oder einen ganzen Monat hinziehen konnte, je nachdem, wie stark der Vampir war.

Daka musterte ihre Schwester und fragte: „Fühlst du dich schon matt und lustlos oder hast du Gliederschmerzen?“ Das waren die ersten Symptome der Krankheit.

Silvania hob einen Arm und ließ den Kopf kreisen. „Ich weiß nicht. Etwas komisch fühlt es sich schon an.“

„Immerhin hast du keinen Juckreiz.“ Daka schnauf-

te und konnte ein Lachen kaum unterdrücken.
„Weißt du noch, wie Bogdan damals beim Klassen-
ausflug herumgetorkelt ist und sich am Bauch und
Popo gekratzt hat?"

Silvania nickte. Damals hatte Bogdan seine Heimaterde vergessen. Binnen weniger Stunden war er
vollkommen durchgedreht. Erst war er getorkelt,
hatte sich gekratzt, dann wirr geredet, und schließlich war er in Ohnmacht gefallen. Damals hatte
Silvania ihn mit ihrer Heimaterde aus der Kette wie-
derbelebt. „Ich weiß nicht, was daran so komisch
sein soll", sagte Silvania mit ernstem Gesicht. „Bogdan war in Lebensgefahr."

Daka hörte auf zu lachen. Es stimmte. Wenn ein
Vampir – oder Halbvampir – innerhalb der nächs-
ten 24 Stunden nicht mit Heimaterde in Berührung
kam, fiel er in ein tiefes Koma. Nur die mächtigsten
Vampire schafften es, daraus wieder zu erwachen.
Alle anderen waren für immer und ewig verloren.
„Wir finden deine Kette schon wieder", sagte Daka.
„Und bis dahin kannst du dir ja ein paar Krümel Hei-
materde zwischen die Zehen klemmen, so wie ich."

„Spinnst du? Das ist total wi-der-lich!"

Daka zuckte die Schultern. „Dann eben nicht."

„Was machen wir denn jetzt?" Um Silvanias Augen bildeten sich kleine rote Ringe.

„Die Kette suchen", meinte Daka, schnappte sich
ihre Schwester am Fußknöchel und schüttelte sie
kopfüber aus. Doch bis auf eine Minibockwurst,
die Silvania schnell wieder einsteckte, bevor Daka
sie sehen konnte, kam nichts zum Vorschein.

„Hattest du sie heute Morgen noch um?", fragte Daka.

„Ich glaube schon." Silvania suchte in ihrer Schultasche. Nichts.

„Vielleicht hast du sie auf dem Radweg verloren. Oder beim Zusammenstoß mit Herrn Graup."

„Oder in der Schule."

„Sollen wir zurückgehen und suchen?"

Silvania riss die Augen auf. Die Vorstellung, wieder in dieses Gebäude des Horrors zu gehen und vielleicht noch mal Herrn Graup zu begegnen, löste ein Magenzwicken aus. „Ach, morgen reicht auch", brachte sie leise hervor. „Ich stelle meine Füße mal eine halbe Stunde in Papas Katzenklo, dann habe ich genug Kraft."

Daka runzelte die Stirn. „Meinst du, das reicht?"

„Bestimmt. Außerdem – vielleicht habe ich die Kette doch zu Hause verloren. Aber ..." Silvania beugte sich zu ihrer Schwester und flüsterte: „Kein Wort zu Mama und Papa. Sonst regen sie sich nur auf."

Daka nickte verschwörerisch.

Die Zwillinge gingen an einem silberblauen Sportwagen vorbei, der vor Haus Nummer 21 parkte. Sie waren zu sehr in ihre Gedanken vertieft, um den Fahrer zu bemerken, der bei heruntergelassenem Fenster ganz still im Wagen saß.

Frau Tepes riss die Tür auf, bevor Daka den Schlüssel ins Schloss stecken konnte. „Erzählt, wie war der erste Schultag?" Ihre Augen strahlten.

„Super", sagten Daka und Silvania wie aus einem Mund.

Tulipa Karpata

Elvira Tepes hatte gute Laune. Das war nichts Außergewöhnliches bei ihr. Doch heute war ihre Laune besonders gut. Sie hatte einen Mietvertrag unterschrieben. Den Mietvertrag für ihren ersten eigenen Laden. „Die Klobrille" sollte der Laden heißen. Elvira Tepes war sich sicher, damit in eine Marktlücke zu stoßen.

Der Laden war zwar etwas klein, dafür umso gemütlicher. „Verkaufsatmosphäre" war das Zauberwort, und das hatte der Laden. Und er hatte einen netten Vermieter. Der Brunch mit Peter war nicht nur in kulinarischer Hinsicht köstlich gewesen. Elvira hatte sich bestens unterhalten. Dieser Peter war wirklich ein reizender Mensch, denn er hatte ihr sogar einen riesengroßen Blumenstrauß mitgebracht. Was für ein Glücksfall, Peter als Vermieter zu haben!

Das sah Herr Tepes etwas anders. Er fand Vermieter, die seine Frau zum Brunch einluden und mit Blumen beschenkten, sehr verdächtig. Er musste diesen Peter gar nicht erst kennenlernen, um ihn unsympathisch zu finden. Aber Frau Tepes war viel zu gut gelaunt, um die merkwürdige Stimmung ihres Mannes richtig zu deuten. (Außerdem hatte Mihai Tepes viele Stimmungen, die von einer Sekunde auf die andere wechseln konnten. Da kam man manchmal einfach nicht mehr mit.)

Doch Herr Tepes war nicht der Einzige mit schlechter Laune. Als Frau Tepes erklärte, dass der Laden zu klein für die Lagerung der Klobrillen war, die 250 Klobrillen oben im Zimmer blieben und Silvania sich weiterhin ein Zimmer mit Daka teilen musste, verfinsterten sich die Gesichter der Zwillinge.

„Wie lange?", fragte Silvania.

Frau Tepes fuhr sich durch die rotbraunen Haare. „Bis ich einen anderen Lagerraum gefunden habe. Oder bis ich 250 Klobrillen verkauft habe."

„Das kann sich ja nur um Jahre handeln." Daka stöhnte.

„Ach was, die gehen ratzfatz weg. Allerdings ..."

„Was?", fragten Daka und Silvania gleichzeitig.

„Na ja, wenn es richtig gut läuft, muss ich natürlich sofort Ware nachbestellen." Frau Tepes lächelte kurz, doch als sie die ernsten Gesichter ihrer Töchter sah, ließ sie es bleiben. „Es tut mir leid. Ich verspreche euch, es wiedergutzumachen. Aber ich kann die Klobrillen nun mal nicht im Keller lagern. Der ist schon besetzt."

„Frag doch deinen reizenden Vermieter", warf Herr Tepes ein, der gerade aus dem Keller kam. „Bestimmt stellt er deine Klobrillen gerne für ein paar Monate in seinem Wohnzimmer ab. Vielleicht wärmt er sie sogar einzeln für die Kundschaft vor."

Frau Tepes warf ihrem Mann einen irritierten Blick zu.

Daka und Silvania verzogen sich lieber auf ihr Zimmer. Gemeinsam suchten sie Silvanias Kette. In den Betten, unter den Betten, in den Schränken, auf den Kommoden, neben Silvanias Hutständerbaum, auf dem Teppich, sogar bei Karlheinz im Aquarium. Aber die Kette blieb verschwunden.

So war es kein Wunder, dass vor dem Abendbrot eine bedrückte Stimmung herrschte. Zum Glück kamen Oma Rose und Opa Gustav zum Abendessen. Das waren die Eltern von Elvira Tepes. Sie wohnten im Westen der Stadt in einer großen Altbauwohnung. Opa Gustav war in einem Dorf, nur etwa dreißig Kilometer von Bindburg entfernt, aufgewachsen. Genau wie Mihai Tepes liebte er seine Heimat. Aber im Gegensatz zu seinem Schwiegersohn hatte er sie nie verlassen. Oma Rose war in einer kleinen Stadt an der Ostsee zur Welt gekommen (das war schon über 60 Jahre her). Sie war oft umgezogen und viel in der Welt herumgereist. Sie liebte Kunst, Geschichte und Seifenopern. Oma Rose arbeitete als Museumsführerin. Opa Gustav war seit vier Jahren Rentner. Vorher hatte er 42 Jahre in einem Autohaus gearbeitet. Erst als Lehrling, dann als Mechaniker, danach als Meister und schließlich als Geschäftsführer. Obwohl es einen tüchtigen neuen Geschäftsführer gab, sah Opa Gustav ab und zu noch mal nach dem Rechten im Autohaus.

Mit den meisten Menschen verstand sich Opa Gustav sehr gut, vor allem, wenn es um Autos und Fußball ging. Nur mit seinem Schwiegersohn hatte er Probleme. Es war ihm ein Rätsel, warum sich seine Elvira in so einen eigenartigen und praktisch unbegabten Mann verliebt hatte.

Vielleicht wäre Opa Gustav einiges klarer geworden, hätte er gewusst, dass sein Schwiegersohn ein Vampir war. Und seine Enkelinnen Halbvampire. Aber Elvira und Rose (die es spannend fand, Vampire in der Familie zu haben, und sich als Kind immer selbst gewünscht hatte, anders zu sein) hatten es nicht geschafft, Opa Gustav über den delikaten Familienhintergrund aufzuklären. Bei den Reisen nach Transsilvanien hatte Gustav seine Frau nie begleitet. Er war einfach unabkömmlich im Autohaus gewesen. Außerdem – wozu so viele Kilometer reisen, wenn es doch zu Hause so schön war und jeder seine Sprache verstand?

Rose hatte es mehrmals versucht, jedoch nie den richtigen Zeitpunkt gefunden, ihrem Mann schonend beizubringen, dass ihre einzige Tochter einen Vampir geheiratet hatte. Jetzt war Gustav 71, und Rose fürchtete, er würde bei der Nachricht einen Schlaganfall bekommen. Also ließ sie es lieber bleiben.

Obwohl Gustav mehrmals seine Hilfe beim Umzug angeboten hatte, hatten die Tepes immer abgelehnt. Wie sollten sie ihm erklären, warum ein Sarg in den Keller getragen werden musste? Daher sahen Opa Gustav und Oma Rose die Wohnung zum ersten Mal.

„Wirklich schön habt ihr es", sagte Oma Rose und füllte sich etwas Salat auf den Teller. „Stimmt's, Gustav?"

Silvania knabberte an einer Möhre, Daka biss genüsslich in ein Hackfleischbrot, und Herr Tepes trank einen Schluck Rotwein.

Opa Gustav schielte zu dem gewaltigen Kronleuchter, der über dem Esstisch hing und viel zu groß für das Wohnzimmer war. Er musterte die schwarzen Vorhänge, dann fiel sein Blick auf Herrn Tepes' Heimaterde. „Was wollt ihr denn mit dem Katzenklo?"

„Das gehört mir", sagte Frau Tepes schnell.

„Hat das was mit deinem Klobrillenladen zu tun?" Opa Gustav runzelte die Stirn.

„Nein. Das ist für … ähm … also …"

„Mama züchtet im Katzenklo Pflanzen", warf Silvania ein. „Tulipa Karpata. Eine ganz seltene Art. Sie wächst nur unter besonderen Bedingungen, wie sie in einem Katzenklo herrschen."

Frau Tepes warf ihrer Tochter einen dankbaren Blick zu.

Opa Gustav nickte anerkennend. „Ihr könntet euch einen schönen Garten anlegen. Ich habe noch etwas Holz für eine Pergola. Und Steinplatten, mit denen wir die Beete ordentlich abgrenzen können. Was meinst du, Mihai?"

Herr Tepes hob die Hände. „ICH mache nichts im Garten."

„So eine naturbelassene Wiese hat auch was", fand Oma Rose.

„Ja, da gibt's auch viel mehr Käfer, Würmer und Mäuse." Daka leckte sich über die Lippen.

Frau Tepes warf ihr einen warnenden Blick zu, während ihr Herr Tepes aufmunternd zunickte.

„Wie wäre es denn, wenn ich euch nach dem Essen helfe, die Klobrillen in den Keller zu bringen?", fragte Opa Gustav.

„NEIN!", rief Elvira Tepes. „Ich meine, nein danke, das ist sehr nett von dir. Aber die Klobrillen können nicht in den Keller, weil … weil …"

Frau Tepes konnte wirklich schlecht lügen. Zum Glück hatten ihre Töchter mehr Übung.

„Weil sie sich durch die besondere Luftfeuchtigkeit dort unten verziehen würden", sagte Daka.

„Plastikklobrillen?", fragte Opa Gustav.

„Das ist ja nicht irgendein Popelplastik", erklärte Daka. „Diese Plastikklobrillen kommen aus Transsilvanien. Sie atmen und leben wie Holz."

Bevor Opa Gustav weiter nachfragen konnte, sagte Frau Tepes: „Habt ihr schon den tollen Blumenstrauß gesehen, den mir mein Vermieter zum Mietabschluss geschenkt hat?" Sie deutete auf die Anrichte.

Oma Rose und Opa Gustav sahen zur Anrichte. Dort standen nur ein Telefon und ein alter Aschenbecher aus Ton mit Deckel. „Wo?", fragte Oma Rose.

Frau Tepes sah sich ratlos um. „Aber ich habe ihn doch …"

Mihai Tepes räusperte sich. „Ich habe ihn weggestellt."

„Wohin?"

„In die Mülltonne." Herr Tepes nahm noch einen Schluck von seinem Rotwein.

„Warum?" Frau Tepes sah ihren Mann mit großen Augen an.

„Er hat gestunken."

„Oh", machte Oma Rose.

„WAS?", fragte Elvira Tepes.

Daka und Silvania schielten zwischen ihrer Mama und ihrem Papa hin und her. Ob der Blumenstrauß gestunken hatte oder nicht – zwischen den Eltern herrschte dicke Luft. „Falls es jemanden interessiert: Wir hatten heute unseren ersten Schultag", sagte Silvania schnell. Eigentlich wollte sie überhaupt nicht über den Schultag reden. Doch das fiel ihr zu spät ein.

„Ach, na eben!", ging Opa Gustav sofort darauf ein.

„Ja, erzählt doch mal. Wie war es?", wollte Oma Rose wissen.

„Prima", sagte Daka und schob sich ein Stück Blutwurst in den Mund. „Silvania hat sich dem Klassenlehrer gleich an die Brust geworfen."

„Er fand das zwar ungewöhnlich, aber sehr herzlich", erklärte Silvania mit ernster Miene.

„Die Schule ist super, die Lehrer sind super, wir waren super", sagte Daka. Dann fiel ihr ein, dass ihre Eltern und Großeltern bestimmt skeptisch werden würden, wenn alles zu positiv klang. Daher fügte sie hinzu: „Allerdings kam es wahrscheinlich nicht so gut an, dass wir im Unterricht eingeschlafen sind."

„Wieso das denn?", fragte Opa Gustav entrüstet.

„Na, weil wir in der Nacht kaum geschlafen haben", sagte Silvania und presste dann schnell die Lippen aufeinander.

„Vor Aufregung", fügte Daka hinzu. „Und wegen des Jetlags."

„Jetlag? Von Rumänien nach Deutschland?"

„Tja, Opa, hättest du uns mal besucht, wüsstest du, wovon wir reden", erwiderte Daka.

Silvania nickte und klemmte sich heimlich unter dem Tisch eine Scheibe Salami zwischen ihre Gurkenscheiben.

„Und wie sind die anderen in der Klasse? Meint ihr, ihr werdet schnell Freunde finden?", fragte Oma Rose.

Silvania verzog den Mund, und Daka runzelte die Stirn. „Das könnte ein Problem werden", gab Daka zu.

„Ach was!", donnerte Opa Gustav. „Meine Enkeltöchter finden im Handumdrehen Freunde. Wieso macht ihr euch da Sorgen?"

„Na ja, weil wir doch ziemlich anders sind als der Rest", sagte Silvania leise.

Herr Tepes nickte langsam, und Frau Tepes legte sorgenvoll die Stirn in Falten.

Opa Gustav winkte ab. „Wenn hier jemand weiß, wie man erfolgreich Kontakte knüpft, dann ich. Zweiundvierzig Jahre habe ich nichts anderes gemacht. Also, wenn ihr ein paar Tipps wollt, hört zu: Lächelt immer, seid höflich und seriös. Oder wirkt zumindest so. Vor allem aber: Schmeichelt dem Kunden ... äh ... dem Mitschüler, gebt ihm immer recht, und zeigt Interesse an seiner Person."

Herr Tepes, der gerade einen Schluck Wein getrunken hatte, musste husten. Elvira klopfte ihm auf den Rücken. Vielleicht ein kleines bisschen heftiger als notwendig.

Silvania nickte ihrem Opa zu. „Kann sein, dass es

bei den Menschen so funktioniert. Also, ich meine natürlich bei den Menschen hier in der Gegend."

Daka runzelte noch immer die Stirn. „Hast du auch Tipps, Oma?"

Oma Rose lehnte sich zurück, griff sich mit der Hand an das Kinn und dachte einen Moment nach. Dann sagte sie: „Mein Tipp geht so: Man soll sich treu bleiben, aber dem anderen gegenüber dennoch offen sein und einfach frohen Mutes auf die Leute zugehen."

Daka lächelte. „Das gefällt mir."

Jetzt war der Gedanke an den nächsten Schultag für Silvania und Daka nicht mehr so schlimm. Sie hatten schließlich zwei Strategien.

Durst

Die Sonne war schon längst hinter dem kleinen Wäldchen untergegangen. Der Mond war von feinen Wolken verschleiert. Ganz schwach fiel sein silbernes Licht auf Bäume, Straßen und Häuser. Eine Katze lief geräuschlos über den Lindenweg. Auf der Mitte drehte sie sich um und blickte zum letzten Haus. Ihre Augen funkelten in der Dunkelheit. Sie fauchte, dann lief sie weiter und verschwand in der Nacht.

In der Vorstadtsiedlung brannte kein einziges Licht mehr. Alle Bewohner schliefen. *Fast* alle. Manche tief und fest, manche leicht und unruhig. Ein Bewohner jedoch war gerade aufgestanden. Er war munter, voller unbändiger Energie und voller grausamer Pläne. Er stand auf dem Dach des Hauses Nummer 23 und sah zum Mond. Als er sich seinen kräftigen Schnauzer glatt strich, blitzten eine Sekunde lang zwei weiße Zähne auf, spitz und lang wie Messer. Er warf den Kopf nach hinten, breitete die Arme aus und erhob sich mit einem Lachen, das wie ein entferntes Donnern klang, in den Nachthimmel.

Wenige Sekunden später lag die Vorstadtsiedlung wieder ruhig und friedlich da. Erst im Morgengrauen kehrte der nachtaktive Bewohner zurück. Er landete erschöpft auf dem Dach des letzten Hauses im Lindenweg. Die ersten Sonnenstrahlen fielen auf sein Gesicht. An seinem Bart klebte Blut.

Silvanias Sturzflug

D en ganzen Schulweg über hatten Silvania und
Daka auf den Boden geguckt. Sie hatten breit
getretene Kaugummis, Zigarettenstummel, Hunde-
kacke, Ameisen, Bonbonpapier und sogar ein 50-
Cent-Stück gefunden. Aber keine Kette.

Silvania hatte ihre Füße gestern noch mal ins
Katzenklo gestellt. Opa Gustav, der wie ein Auto geguckt hatte, hatte sie erklärt, dass die Tulipa Karpata bei direktem Kontakt mit menschlicher Wärme
(oder halbmenschlicher) am besten gedeihen würde.
Trotzdem fühlte sich Silvania ohne ihre Kette unsi-
cher. Was, wenn dieser furchtbar peinliche Juckreiz
ausbrach oder sie wirr zu reden anfing? Sie mussten
die Kette unbedingt finden – und zwar so schnell
wie möglich!

In der Schule suchten die Zwillinge sämtliche
Räume ab, in denen sie gestern Unterricht gehabt
hatten. Nichts. In den Pausen liefen sie die Flure mit
gesenkten Köpfen entlang. Nichts. Als sie gerade
mit Blick auf den Boden dem Hauptgang folgten,
fragte auf einmal eine helle Stimme: „Sucht ihr irgendwas?"

Daka und Silvania blickten gleichzeitig auf. Vor
ihnen stand Helene Steinbrück. Das schönste Mädchen der 7 b! Es redete! Mit ihnen! Einen Moment
waren sie so überrascht, dass sie kein einziges Wort

herausbrachten. Das kam selten vor, besonders bei Daka.

Silvania plapperte schließlich vor Aufregung: „Hallo, ich bin Silvania Tepes, und das hier ..." Sie hielt inne und erinnerte sich an den gut gemeinten Rat ihres Opas. Lächeln. Interesse am Kunden. „Wie geht es dir so?"

Helene runzelte die Stirn. „Ich weiß, wer ihr seid. Und danke, mir geht es gut. Aber ihr scheint ein Problem zu haben."

„Wie schön, dass es dir gut geht." Silvania lächelte, als hätte sie einen Bleistift quer im Mund.

„Meine Schwester hat ihre Kette verloren", sagte Daka und fügte in Gedanken hinzu: Und den Verstand.

„Die schöne mit dem goldenen, ovalen Anhänger?"

Silvania starrte Helene an und nickte wie ein Wackeldackel.

„Die ist mir gestern in der ersten Stunde gleich aufgefallen."

„Das heißt, Silvania hatte sie in der ersten Stunde noch. Auf dem Heimweg war sie dann weg", fasste Daka zusammen.

„Also ist sie wahrscheinlich in der Schule verschwunden", meinte Helene und machte ein Gesicht wie ein Kommissar.

In dem Moment lief Ludo Schwarzer vorbei. Er starrte Silvania und Daka an, wobei er weiter geradeaus ging, ohne in jemanden hineinzulaufen. Seine Augen waren tief, und die ockerfarbenen Pupillen wirkten wie ein Strudel, aus dem man nicht so einfach wieder herauskam.

„Hat der irgendwas?", fragte Daka leise.

Helene flüsterte zurück: „Ich glaube schon. Aber ich weiß nicht, was. Er redet manchmal mit Leuten, die gar nicht da sind. Einige meinen, er wäre ein bisschen …" Helene kreiste mit ihrem Zeigefinger an der Schläfe. „Na ja, ihr wisst schon. Auf jeden Fall ist er etwas unheimlich." Helene schüttelte sich und grinste dabei, als wäre das eine erfreuliche Eigenschaft.

In dem Moment klingelte es. Helene stöhnte. „Wir müssen zum Sport. Ich hasse Sport. Es ist das peinlichste und schlimmste Fach überhaupt."

Silvania wollte gerade widersprechen, als ihr der Rat von Opa Gustav einfiel. „Stimmt, Sport ist total doof. Das Fach müsste wegen Schülerquälerei verboten werden."

Daka warf ihrer Schwester einen irritierten Blick zu. „Also in Bistrien hattest du noch nichts gegen Sport. Ich liebe Sport!", verkündete sie dann und schritt frohen Mutes zur Turnhalle.

Zum Glück gab es in der Mädchenumkleide keine Spiegel, nur in den Toiletten. Das Einhalten der radikalen Regel Nummer fünf – das Meiden von Spiegeln, Spiegelreflexkameras und Knoblauch – sollte kein Problem sein. Silvania schlüpfte in ihren schwarzen Gymnastikanzug mit den feinen Rüschchen an der Seite, die wie Fledermausflügel aussahen. Den hatte ihr Oma Zezci zu Weihnachten geschenkt. Silvania fand den Anzug todschick. In

Bistrien war das der letzte Schrei. In Bindburg der letzte Husten.

„Ey, was ist denn das für ein Teil?", rief Sally Kellermann. „Warst du damit beim Fasching?"

Silvania sah an sich herab. Sie liebte den Gymnastikanzug und ließ ihn sich nicht so einfach vermiesen. „Nein. Damit war ich bei der transsilvanischen Saikato-Meisterschaft."

„Hä? Was is'n das?"

Silvania beugte sich vor, sah Sally direkt in die Augen und sagte langsam: „S-a-i-k-a-t-o ist eine der gefährlichsten Kampfsportarten der Welt."

Daka lehnte sich ebenfalls zu Sally. „Silvania stand bei der Saikato-Meisterschaft übrigens auf dem Siegerpodest. In der Mitte."

Die Zwillinge sahen Sally ernst an und nickten gleichzeitig. Doch das Ernstbleiben fiel ihnen schwer. Dabei hatten sie nicht gelogen: Silvania stand bei der Saikato-Meisterschaft wirklich auf dem Siegerpodest. Der einzige kleine Unterschied war, dass Saikato keine Kampfsportart, sondern ein traditioneller Tanz war.

„Äh, na dann, cooler Kampfsportanzug", sagte Sally und wandte sich mit rotem Kopf ab.

Als Daka ihren lila-schwarz gestreiften, ärmellosen, knielangen Anzug überstreifte, der wie ein uralter Badeanzug aussah, sagte keiner mehr etwas.

Helene, die von vier schnatternden Mädchen umzingelt war, betrachtete die Zwillinge verstohlen aus den Augenwinkeln.

Der Sportunterricht begann gleich zackig mit

einem Zirkeltraining zum Aufwärmen. Katrin Renneberg, die Sportlehrerin, legte dazu Musik auf. Daka tobte sich richtig aus. Wenn sie schon nicht fliegen durfte, konnte sie wenigstens so ihre Energie loswerden. Die Musik war fast so gut wie die von *Krypton Krax*, musste sie zugeben. Daka war so im Zirkeltraining gefangen, dass sie gar nicht hörte, wie Frau Renneberg abpfiff und sich alle wieder am Rand versammelten. „Onu, zoi, trosch, boi schlappo noku mosch, boi, boi boi!", sang sie den letzten Hit von *Krypton Krax* vor sich hin und stieß dabei die Faust in die Höhe.

Die 7b und Frau Renneberg standen am Rand und sahen Daka zu. Erst als Frau Renneberg noch einmal pfiff, kam Daka wieder in der Wirklichkeit an. Schnell lief sie an den Rand und stellte sich neben ihre Schwester.

„Freut mich, dass du so ein Fan vom Zirkeltraining bist", sagte die Sportlehrerin.

Daka sah zu Boden. Als Frau Renneberg den Ablauf der Stunde erklärte, blickte Daka zu ihrer Schwester. „War es sehr peinlich?", fragte sie leise.

„Normal peinlich." Silvania wischte sich ein paar Schweißperlen von der blassen Nase. Dabei schwankte sie leicht.

„Geht es dir nicht gut?", fragte Daka und stützte Silvania am Arm.

Silvania schüttelte den Kopf. „Geht schon, danke. Das Zirkeltraining war nur etwas anstrengend."

Daka runzelte die Stirn. Normalerweise kam ihre Schwester nicht so schnell aus der Puste.

Frau Renneberg klatschte zweimal in die Hände. „Also, baut den Schwebebalken auf, und holt Matten."

Kurze Zeit später stand der Balken, die Matten lagen darunter, und vor dem Balken stand ein kleines Sprungbrett. Frau Renneberg turnte den Mädchen eine einfache Übung vor. Zumindest sah sie bei ihr einfach aus. Ihr kurzer brauner Pferdeschwanz wippte im Takt, als sie ein paar Sprünge auf dem Balken machte. Zum Abgang schlug sie ein Rad.

„So, und jetzt seid ihr dran. Wer fängt an?" Frau Renneberg ließ den Blick über die Mädchen schweifen. Er blieb an Silvania hängen. Vielleicht lag es an ihrem ausgefallenen Gymnastikanzug, vielleicht an ihrer Nase, die schneeweiß leuchtete.

Silvania atmete einmal tief durch und ging zum Balken. Sie nahm Anlauf, traf mit beiden Beinen auf das Sprungbrett und sprang auf den Balken. Langsam richtete sie sich auf, streckte die Arme zur Seite und ging zwei Schritte mit gestreckten Zehen, wie es Frau Renneberg vorgemacht hatte. Sie hüpfte dreimal auf der Stelle, wobei die Fledermausflügelchen ihres Gymnastikanzugs leicht flatterten. Es sah sehr schön aus. Dann blieb sie stehen und sah auf ihre Füße. Dabei schwankte sie von links nach rechts. Erst kaum merklich, dann immer mehr. Sie setzte einen Fuß nach vorne, dann wieder nach hinten. Das Schwanken hielt an. Schließlich wedelte sie mit den Armen und torkelte auf dem Balken vor und zurück.

„Silvania? Alles in Ordnung?" Frau Renneberg war an den Balken getreten.

Silvanias Gesicht verzog sich zu einem Grinsen. „Mir geht's prima. Hier oben ist alles sss... sss... ssso schön grün." Silvania machte eine ausladende Kreisbewegung mit den Armen. „Alles voller Tulipa Karpata. So ein schönes Katzenklo hier!" Silvania torkelte drei Schritte zurück. Einer verfehlte den Balken beinahe. „Hups." Silvania kicherte. „Und ich bin eine kleine Fluffiwolke und schwebe." Silvania wedelte mit den Armen und torkelte wieder vorwärts.

„Oh", machte Frau Renneberg und hielt Silvania die Hand hin. „Komm lieber mal runter vom Balken."

Doch Silvania dachte gar nicht daran. Wahrscheinlich hörte sie die Sportlehrerin auch nicht. Sie befand sich gerade auf irgendeinem himmlischen Katzenklo. Ihr Grinsen wurde immer breiter, und sie torkelte immer wilder. Einige Mädchen der 7 b hielten sich die Hände vors Gesicht, andere rissen die Augen auf. Daka starrte ihre Schwester mit offenem Mund an. „Schlotz zoppo! Der Erdentzug", flüsterte sie.

Silvania murmelte etwas wie „Tuli, trulla, tralla" und kicherte wieder. Dann machte sie ein ernstes Gesicht. Sie legte eine Hand auf die Brust und begann, die ersten Zeilen von „Transsilvania, rodna inima moi" zu singen. Mit der anderen Hand dirigierte sie ein unsichtbares Orchester. Dabei torkelte sie heftig nach rechts. Ihr Fuß tastete nach dem Balken, doch er fand nur Luft. Er tastete weiter, und Silvania kippte.

Daka sah Silvania fallen. Schneller, als ein Mensch sehen konnte (und unter Missachtung der radikalen Regel Nummer sechs), flopste sie um den Balken herum, fing Silvania auf und krachte mit ihrer Schwester im Arm auf die Matte.

„Autsch!", sagte Daka.

„Hups!", sagte Silvania und kicherte.

Frau Renneberg schlüpfte unter dem Balken durch und starrte die Schwestern besorgt an. Schnell bildete sich ein Kreis aus Schaulustigen der 7 b um sie herum.

„Habt ihr euch etwas getan?" Frau Renneberg tastete Daka und Silvania ab, die dabei noch mehr kicherte.

Daka rieb sich ihr Hinterteil, auf das sie mit ganzer Wucht gefallen war.

Silvania beugte sich vor und spuckte beherzt dreimal auf Dakas Pobacke.

Frau Renneberg runzelte die Stirn. „Soll ich einen Arzt rufen? Oder … irgendjemand anderen?"

„Nein, schon gut. Ich weiß, was ihr fehlt", sagte Daka.

Silvania kicherte laut auf. Dann gefroren ihre Gesichtszüge, nur die Pupillen drehten mehrere Runden in den Augen, bis sie plötzlich stehen blieben. Aus Silvanias Mund kam ein Schluckauf, im gleichen Moment fielen ihr die Augen zu, und der Kopf kippte zur Seite.

Durch die Menge der Schaulustigen ging ein Japsen.

„Schläft sie?"

„Ist sie in Ohnmacht gefallen?"

„Ist sie tot?", tuschelte es in den Zuschauerreihen.

Daka wurde mit einem Schlag bewusst, wie ernst die Situation war. Angst kroch ihr wie eine kalte, feuchte Schlange von den Fußsohlen über den Rücken bis in den Nacken. Sie war wie gelähmt und sah ihre Schwester mit weit aufgerissenen Augen an. Silvania war in ein Koma gefallen! Was, wenn sie nie wieder erwachen würde? Oder erst in 3500 Jahren? Daka zog sich das Herz bei dem Gedanken zusammen. Sie musste ihre Schwester aus dem Koma holen, und sei es mit Gewalt. Kurz entschlossen holte Daka aus und schlug Silvania kraftvoll auf die blasse Wange.

Ein Teil der Schaulustigen wich erschrocken zurück und hielt die Luft an.

Silvanias Kopf war auf die andere Seite gekippt, und auf der Wange war ein leichter, rötlicher Abdruck von Dakas Hand zu sehen. Doch ansonsten lag Silvania genauso leblos da wie zuvor. „Silvania, wach auf! Sofort! Ich rede sonst nie wieder mit dir!", rief Daka und rüttelte ihre Schwester an der Schulter. Wenn sie doch nur irgendetwas tun konnte! In dem Moment wollte Daka nichts mehr, als ihre Schwester zurückhaben. Sie würde sich mit ihr nicht nur liebend gerne ein Zimmer, sondern auch ein Bett teilen. Sie würde ihr Karlheinz zum Schmusen ausleihen. Sie würde sogar mit ihr zusammen Mädchenzeitschriften und Liebesromane lesen. Sie würde … einfach alles für ihre Schwester tun. Daka fuhr sich verzweifelt durch die Haare. Da spürte sie eine Hand auf ihrer Schulter.

Frau Renneberg hockte sich neben Daka und sagte: „Sie ist sicher nur in Ohnmacht gefallen. Am besten, wir legen ihre Beine hoch."

„Mein Opa hat meiner Oma bei Ohnmacht immer Riechsalz unter die Nase gehalten", quäkte Sally aus der ersten Reihe der Schaulustigen.

Es war, als hätte ein Blitz in Dakas Gehirn eingeschlagen. Natürlich! Sie konnte ihrer Schwester ja helfen! Nicht mit so einem Menschenklimbim wie Riechsalz. Bei Halbvampiren brauchte man schon eine stärkere Medizin. Daka versuchte sich an den Erste-Hilfe-Kurs in Bistrien zu erinnern: „Bei Schwächeanfall Heimaterde direkt über die Schleimhäute zuführen." Mit einem Handgriff zog Daka ihre alten Turnschuhe und Socken aus. Dann pulte sie ein paar Dreckkrümel zwischen den Zehen hervor und stopfte sie ihrer ohnmächtigen Schwester in die Nase. Die schlug kurz darauf die Augen auf und sah ihre Schwester verdutzt an.

„Bääh, wie eklig!", rief Sally.

Einige Schaulustige würgten.

Frau Renneberg blieb der Mund offen stehen.

Helene Steinbrück beugte sich interessiert vor.

Silvania sog die Dreckkrümel tief in die Nase ein und atmete durch. Der verwirrte Ausdruck in ihren Augen verschwand allmählich. „Mein Kopf", stöhnte sie. „Wo bin ich?"

„Du bist in Sicherheit", sagte Frau Renneberg resolut und nickte, dass ihr Pferdeschwanz wackelte.

Silvania flüsterte ihrer Schwester zu: „Wieso liege ich neben einem Balken, und wieso stehen alle um mich herum und starren mich an?"

„Na ja ... also ... das erkläre ich dir am besten zu Hause", sagte Daka.

„Sag mir nur eins: War es sehr peinlich?"

Daka schielte schnell zur Seite. „Nö. Normal peinlich."

Ein rätselhafter Vorfall

Die Strahlen der Nachmittagssonne fielen schräg auf das Wohnzimmerfenster des Reihenhauses Nummer 21. Das Fenster stand einen Spalt offen. Dirk van Kombast saß mit seinem Laptop an einem großen Glastisch neben dem Fenster. Auf dem Tisch standen ein Glas Buttermilch und ein Brot mit Frischkäse.

Die schlanken Finger huschten routiniert über die Tastatur. Dirk van Kombast gab ein paar Vertragsabschlüsse und Arzttermine ein. Dann öffnete er einen Ordner mit der Aufschrift „Privat". Er biss vom Käsebrot ab, nahm einen Schluck Buttermilch und tupfte sich den Mund mit einer rosa-weiß geblümten Serviette ab. Er klickte sich durch mehrere private Ordner, bis er zum Unterordner „Familie T./ Nr. 23" kam. Er öffnete eine Tabelle. In den Spalten stand: *Datum/Zeit; Ort; Subjekt; Subjektbeschreibung; Handlung; Äußerung; Anmerkungen.*

Dirk van Kombast überflog die Zeilen und tippte sich dabei mit dem Zeigefinger an den Mund. Dann schrieb er unter die Tabelle: *Besonders verdächtig bei Subjekt M.T. sowie ferner bei den Subjekten D.T. + S.T. (Subjekt E.T. noch unklar): blasse, beinahe durchsichtige Haut; erdiger Geruch, überlagert von Sonnencremeduft; Orgelmusik aus dem Keller, nächtliche Aktivi…*

„Schreibst du mir heimlich einen Liebesbrief?"

Dirk van Kombast zuckte zusammen. Sonja, die temperamentvolle Krankenschwester von Dr. Röchel, umklammerte ihn von hinten mit beiden Armen. Er hatte ganz vergessen, dass sie noch in seiner Wohnung war.

„Besonders verdächtig", las Sonja. „Was soll das denn sein? Spielst du Hobbydetektiv oder so was?"

„Nein", zischte Dirk van Kombast und schloss schnell das Fenster mit der Tabelle, bevor Sonja weiterlesen konnte. Er wusste, dass die Krankenschwester ihn nur auslachen würde, wenn er ihr die Wahrheit sagte, ihr sein Geheimnis preisgab.

Dirk van Kombast erinnerte sich noch genau, wie seine Mutter ausgelacht worden war. Irene van Kombast war die schönste Frau, die Dirk kannte. Niemand hatte so schönes blondes Haar, so weiche Hände und so warme Augen wie seine Mutter. Als Kind war sie ihm wie ein Engel vorgekommen. In der Schule wurde Dirk als Muttersöhnchen veralbert, aber das war ihm egal. Dirk hatte zwar auch einen Vater, einen großen, unternehmungslustigen Wagehals, aber er interessierte sich nicht für seine Abenteuer. Lieber saß er bei seiner Mutter, fuhr mit ihr einkaufen oder kuschelte sich mit ihr auf der Couch zusammen.

Doch an einem nebligen Novembertag geschah etwas, das Irenes und das Leben der ganzen Familie ändern sollte. Dirk war gerade vor ein paar Monaten in die zwölfte Klasse gekommen. Als er aus der Schule nach Hause kam, fand er seine sonst so schöne Mutter mit vollkommen zerzausten Haaren, zerschlissenen Kleidern und einem furchterregenden, leeren Blick in der Küche. Dirk versuchte sie zum Reden zu bringen, rief seinen Vater, der rief den Arzt – doch Irene van Kombast sagte einen Monat lang kein Wort.

Ein Arzt diagnostizierte Schock, ein anderer ein Trauma und ein dritter eine Stimmbandlähmung. Die Polizei kam und befragte die Nachbarn. Ein Nachbar hatte Irene van Kombast an dem Novembertag in den Wald laufen sehen, ein anderer hatte sie auf dem Dach des Kirchturms gesehen und ein dritter im Hundesalon (obwohl die van Kombasts gar keinen Hund besaßen).

Am 32. Tag nach dem rätselhaften Vorfall im November begann Frau van Kombast wieder zu reden. Der erste Arzt sagte, sie sei aus dem Schock aufgewacht, der zweite Arzt meinte, sie würde jetzt ihr Trauma aktiv verarbeiten, und der dritte Arzt, der die Stimmbandlähmung diagnostiziert hatte, erklärte sie für geheilt. Doch was Irene van Kombast da sprach, hörte sich gar nicht gesund an. Sie wedelte wild mit den Armen, riss die Augen auf und rief: „Geh weg, rapedadi! Verschwinde, du Blutsauger!" Das tat sie, bis sie völlig außer Atem war. Dann ließ sie sich in den Sessel fallen und starrte mit leerem Blick vor sich hin. Nur wenn Dirk sich zu ihr setzte, lächelte sie schwach.

Der Zustand von Irene van Kombast wurde nicht besser. Die Ärzte standen vor einem Rätsel. In der Nachbarschaft begann man, über Frau van Kombast zu reden. Manche hatten Mitleid mit ihr, andere taten nur so. Die meisten hielten sie für vollkommen durchgeknallt.

Herr van Kombast setzte sich immer seltener zu seiner Frau. Manchmal blieb er über Nacht weg, manchmal ein paar Tage, manchmal eine Woche. Auf Rat der Ärzte ließ er seine Frau schließlich in eine psychiatrische Klinik einweisen. Auf Rat seiner Freunde ließ er sich von Irene van Kombast scheiden. Dirk wohnte noch ein Jahr bei seinem Vater. Sobald er 18 war, zog er aus. Er vergaß seinem Vater nie, dass er seine Mutter einfach im Stich gelassen hatte.

Dirk besuchte seine Mutter anfangs täglich in der Klinik. Meistens lächelte sie ihn nur an, doch manchmal redete sie auch. Zunächst fiel es Dirk schwer, ihr zu folgen. Doch wie bei einem Puzzle setzten sich die Satzfetzen zu einem Bild zusammen, und er verstand nach und nach. An jenem nebligen Novembertag hatte Irene van Kombast eine unerklärliche Anziehung in den Wald gelockt. Und dann – Dirk war sich nicht sicher, ob er das richtig verstanden hatte – waren Vampire auf Irene eingestürmt. Sie jagten Irene durch den Wald, einer der Vampire schnappte sie sich und flog mit ihr in atemberaubender Geschwindigkeit zwischen den Bäumen hindurch. Die Vampire warfen sich Irene zu, als wäre sie ein Ball. Sie kreisten sie ein, tanzten um sie herum, bleckten die Zähne, aber bissen sie nicht. Schließlich setzten sie Irene im dichten Nebel auf dem Kirchturm ab, wo es ihr erst nach mehreren Stunden gelang, hinunterzuklettern.

Natürlich wollte Dirk van Kombast zunächst nichts davon glauben. Vampire! Firlefanz! Vampire gab es in Büchern, im Fernsehen und im Kino. Aber nicht im kleinen Stadtwäldchen. Doch die Schilderungen seiner Mutter waren so lebendig und detailgenau, dass ihm Zweifel kamen. Sie zeichnete die Vampire für ihn und erinnerte sich an einige Wörter in ihrer fremden Sprache. Sie meinte, etwas Ähnliches wie „fumpfs" und „schlotz zoppo" gehört zu haben. Aber was es bedeutete, wusste sie nicht.

Je mehr Dirk van Kombast über die Vampire hörte, desto mehr faszinierten sie ihn. Stundenlang surfte er im Internet und stellte erstaunt fest, dass seine Mutter nicht die Einzige war, die eine unerfreuliche Begegnung mit den Blutsaugern erlebt hatte. Weltweit gab es mehrere Opfer. Dirk stieß auf Seiten von Experten, auf genaueste wissenschaftliche Abhandlungen, die die Existenz von Vampiren bewiesen. Dirk van Kombast wurde immer besessener von der Idee. Er hatte sozusagen Blut gerochen.

Und so schwor er sich, seine Mutter zu rächen. Die Vampire hatten sie in den Wahnsinn getrieben, und er würde dafür die Vampire zur Strecke bringen. Doch dazu musste er aufpassen, dass er nicht selbst in der psychiatrischen Klinik landete. Es war sein großes Geheimnis.

„Also bekomme ich keinen Liebesbrief von dir, was?" Sonja wickelte eine blonde Strähne von Dirks Nackenhaaren um ihren Finger.

„Äh … nein", erwiderte Dirk, den Sonja aus seinen Gedanken gerissen hatte.

„Schade. Das wäre so schön romant-"

„Psst", machte Dirk und beugte sich vorsichtig zum Fenster. Auf der Straße näherten sich die Nachbarsmädchen. Die eine, Dakaria, wenn sich Dirk van Kombast richtig erinnerte, hatte wie immer eine viel zu große Sonnenbrille auf, und die andere, die Silvania sein musste, hatte ihren Hut tief in die Stirn gezogen.

Dirk van Kombast stieß das Fenster noch ein Stück auf und lauschte.

„Und ich habe wirklich ‚Transsilvania, rodna inima moi' gesungen? Mitten auf dem Balken? Vor allen Leuten?", fragte Silvania.

„Ja, aber nur die erste Liedzeile, dann bist du schon abgestürzt und in Ohnmacht gefallen", erwiderte Daka.

„Danke, dass du mich gerettet hast", sagte Silvania, legte ihrer Schwester kurz den Arm um die Schulter und drückte sie.

Daka winkte ab. „Lass dir lieber was einfallen, damit das nicht noch mal passiert."

„Was soll ich denn machen? Die Kette ist verschwunden!"

„Dann klemm dir wenigstens etwas Heimaterde in den Bauchnabel."

Dirk van Kombast sah, wie Silvania das Gesicht verzog. „Das ist doch total unhygienisch."

„Besser unhygienisch als umklappen", fand Daka.

Silvania seufzte. Sie blickte kurz zu Dirk van Kombasts Haus. Er schreckte zurück. Doch hinter der Gardine hatte sie ihn nicht gesehen. „Ich kann mir ja ein paar Krümel mit Tesa unter meine Armbanduhr kleben."

„Finde ich zwar total umständlich, aber besser als nichts", meinte Daka.

Dann liefen die Mädchen auf die Einfahrt von Haus Nummer 23 und verschwanden kurz darauf hinter der Wohnungstür.

Dirk van Kombast lehnte sich zurück und starrte nachdenklich auf den Bildschirm, auf dem er als Hintergrund ein altes Foto von sich und seiner Mutter geladen hatte. „Hast du das gehört? Sie soll sich Heimaterde in den Bauchnabel stecken. Ist das nicht ... verdächtig?"

„Was soll denn daran verdächtig sein? Das sind zwei Mädchen zwischen zehn und 16, die haben eben nur Blödsinn im Kopf. War bei mir genauso."

Dirk drehte sich verwirrt zu Sonja um. „Ich habe nicht mit dir geredet."

Sonja sah sich irritiert im Zimmer um. „Sondern?"

„Mit meiner Mutter." Dirk deutete mit dem Kinn auf den Bildschirm.

„Oh." Sonja zog die Augenbrauen hoch. „Deine Mutter. Verstehe. Ich ... ich geh dann mal lieber."

Dirk van Kombast nickte abwesend und starrte vor sich hin. Er bekam nur nebenbei mit, wie Sonja das Haus verließ. Eins stand fest: „Familie T./Nr. 23" musste weiter beobachtet werden. Möglicherweise sogar intensiver.

Friedhofsnotizen

Sie saß auf ihrem Lieblingsplatz. Der Stein war groß, rund und mit Moos bewachsen. Er war von hohen Gräsern umgeben, und die Grabsteine rundherum ragten stumm wie Pfähle im Wasser aus dem Gras heraus. Helene hatte keine Angst vor ihnen. Sie kannte sie alle. Es waren ihre Freunde.

Helene riss einen Grashalm aus der Erde und fuhr sich damit über den linken Arm, auf dem ein sechsarmiges Monster mit Warzen, Glupschaugen und messerspitzen Zähnen eine haarige Riesenspinne jagte. Helene hätte gerne echte Tattoos gehabt. Aber das würde ihr Papa nie erlauben. Es hatte fast ein Jahr gedauert, bis er sich an die Zeichnungen auf dem Arm gewöhnt hatte. Er meinte, dass es nur eine Phase war, die bald vorbei sein musste. Erwachsene konnten ganz schön naiv sein.

Helene holte ihr Tagebuch heraus. Es war ein kleines dunkelblaues Büchlein mit einem glänzenden Leseband. Selten schrieb Helene mehr als ein paar Zeilen. Aufsätze hatte sie genug im Deutschunterricht auf. Meistens notierte sie einfach, was ihr gerade einfiel – ein einziger Gedanke, eine Erinnerung oder eine Frage, die ihr durch den Kopf ging.

Sie steckte den Stift in den Mund und überlegte. Helene dachte an Silvania und Daka Tepes. Seit sie sie zum ersten Mal gesehen hatte, spukten ihr die

Schwestern durch den Kopf. Denn eins war klar: Die Schwestern waren anders als alle anderen Mädchen in der Schule. Nicht nur, weil sie seltsam gekleidet waren, ständig einschliefen, vom Balken torkelten und sich dann Zehenkrümel in die Nase steckten. Das war schon ziemlich schräg. Aber die leichenblassen Zwillinge umgab dazu noch etwas Düsteres. Unter dem Sonnencremeduft rochen sie leicht muffig. Oder bildet Helene sich das nur ein?

Helene war sich fast sicher, dass die Schwestern etwas zu verbergen hatten. Denn sie wusste, wie das war. Sie nahm den Stift aus dem Mund und schrieb ins Tagebuch: *Haben Silvania und Daka Tepes auch ein Geheimnis, genau wie ich?*

Schlafende Schwestern

Seit Helene Steinbrück Daka und Silvania Tepes im Schulflur angesprochen hatte, fanden es die Zwillinge nicht mehr ganz so schlimm, in die Gotthold-Ephraim-Lessing-Schule zu gehen. Aber es war immer noch schlimm genug. Die Schwestern waren tagsüber hundemüde. Silvania kniff sich ständig in die Arme, um wach zu bleiben. Daka hatte sich sogar in einer Pause heimlich in die Turnhalle geschlichen und kopfüber an den Stufenbarren gehängt, um ein Nickerchen zu machen. Ihr Schnarchen hatte den Hausmeister, Olaf Zecher, alarmiert, der dachte, ein wildes Tier aus dem Zoo hätte sich in die Turnhalle verirrt.

Olaf Zecher fand manche Sachen lustig, die andere gar nicht lustig fanden. Er borgte sich die Trillerpfeife von Frau Renneberg und pfiff der schnarchenden Daka ins Ohr. Diese fiel vor Schreck vom Barren. Zum Glück hatte Olaf Zecher nicht nur einen seltsamen Humor, sondern auch viel Kraft und hohe Reaktionsgeschwindigkeit. Er fing Daka auf, bevor sie auf dem Boden landen konnte.

Herr Graup hatte die Geschichte mit der Tomate und der Kopfnuss noch nicht vergessen. Er ignorierte Silvania meistens, wenn sie sich meldete, und nahm Daka dafür dran, wenn sie gerade träumte und *Krypton Krax* vor sich hinsummte. Wusste

Daka die Antwort dann nicht (also fast immer), seufzte Herr Graup und nahm Rafael Siegelmann dran. Er wusste jede Antwort.

Lucas Glöckner wusste nie eine Antwort, wurde aber auch nie von den Lehrern aufgerufen. Bis auf die Musikstunde. Frau Burckhardt liebte Lucas' knabenhelle Stimme und versuchte ihn in jeder Stunde zu überreden, dem Schulchor beizutreten. Lucas hasste seine knabenhelle Stimme. Er hätte lieber tief und donnernd wie ein Monster gesprochen. Monster mussten auch nicht in den Schulchor.

Ludo Schwarzer dagegen redete so leise, als würde er sich jeden Moment in Luft auflösen. Dabei sagte er sowieso kaum etwas (und wenn, dann meistens zu sich selbst). Er streifte wie ein Panther durch die Schulgänge, seine Bewegungen waren sanft und schnell zugleich. Von einer Sekunde auf die andere tauchte er an einem anderen Ort auf. Es schien fast, als könne er flopsen. So kam es den Zwillingen zumindest vor. Doch dann hätte er ein Vampir oder ein Halbvampir sein müssen. Und das war er nicht. Die Zwillinge hätten es sofort gerochen.

Zum Glück gab es Helene Steinbrück. Daka und Silvania waren sich einig, dass Helene nicht nur das schönste und klügste Mädchen der 7 b war, sondern auch das spannendste und coolste. Aber etwas war sehr merkwürdig: Helene hatte trotzdem keine Freunde. Bestimmt hätte sie immer jemanden gefunden, der gerne ihre Schultasche getragen oder sein Pausenbrot mit ihr geteilt hätte. Aber obwohl Helene in den Augen der Zwillinge die perfekte

Freundin wäre, blieb sie immer für sich. Manche Schüler machten einen Bogen um sie, manche Lehrer behandelten sie wie ein rohes Ei. Lag es daran, dass sie manchmal so modrig roch? Oder von einer Sekunde auf die andere die Augen weit aufriss und vor sich hinstarrte? Die Zwillinge wussten es nicht. Es war, als wäre Helene von einer unsichtbaren Schutzhülle umgeben.

Daka und Silvania versuchten beide, hinter diese Schutzhülle zu gelangen. Die Zwillinge wetteiferten um Helenes Freundschaft. Daka hielt sich dabei an den Rat von Oma Rose, Silvania dagegen an den von Opa Gustav. Besonders weit waren sie damit beide noch nicht gekommen.

Silvania warf Helene in der Geschichtsstunde ab und zu unauffällig einen Blick zu. Doch Helene hing an Herrn Graups Lippen, als wäre er ein Prophet. Schließlich gab es Silvania auf. Sie seufzte leise und spielte gedankenverloren an ihrer Armbanduhr.

Nach dem lebensgefährlichen Absturz im Sportunterricht hatte Silvania sich ein paar Krümel Heimaterde unter die Uhr geklebt. Trotzdem – solange sie ihre Kette nicht wiedergefunden hatte, lebte sie in ständiger Angst vor einer erneuten Ohnmacht. Sie traute den Krümeln unter der Armbanduhr nicht so recht. Mal ganz davon abgesehen, dass eine Kette viel schicker war. Sobald Silvania sich etwas schwach fühlte, leicht schwankte oder sich beim Sprechen verhaspelte, kam Panik in ihr auf. War das der nächste Anfall? Silvania war klar: Das nächste Koma konnte das letzte sein.

Gemeinsam mit Daka hatte sie die Wohnung auf der Suche nach der Kette auf den Kopf gestellt. Sie hatten in jeder Ecke nachgeschaut, unter jedem Schrank, im Katzenklo, sogar im Ofen, in der Mikrowelle und in der Wäschetrommel. Nichts. In der Schule hatten sie am Schwarzen Brett einen Zettel aufgehängt. Aber es hatte sich niemand gemeldet. Vielleicht lag es daran, dass sie als Finderlohn ein Pfund frisches Hackfleisch versprochen hatten. In Bistrien hätte sich dafür jeder Schüler sofort auf den Fußboden geworfen und die Kette gesucht.

Silvania starrte durch Herrn Graup hindurch und bekam nur mit halbem Ohr mit, dass sie die Geschichtsbücher aufschlagen sollten. Sie überflog das Kapitel, dann holte sie die Postkarte von Oma Zezci hervor, die gestern Nacht per Fledermausexpress angekommen war, und sah sie sich zum x-ten Mal an. Auf der Vorderseite der Postkarte war ein tanzender Mann, dessen Rastalocken wie ein Kettenkarussell um ihn herumflogen. Auf der Hinterseite hatte Oma Zezci mit wackeliger Schrift (Mihai Tepes' Mutter war immerhin schon 25.445 Jahre alt) geschrieben:

Hoi!,
erhole mich bestens am jamaikanischen Strand von 13.533 Jahren Ehe. Viele Freunde gefunden: Juan, Eddie, Bruce, Bounty und Bob.
Muss Schluss machen, Bob bringt mir einen Bloody Larry.
Tirili,
eure Oma Zezci

Silvania schnupperte an der Postkarte. Sie roch nach Salz, Sonnencreme und nach Vanilletabak, den Oma Zezci in der Pfeife rauchte. Silvania schloss einen Moment die Augen und versuchte, sich Oma Zezci am Strand in Jamaika vorzustellen. Hatte sie sich gegen die Sonne in den Sand eingebuddelt? Oder ließ sie sich jede halbe Stunde von Bob, Bruce oder Juan neu eincremen? Oder lag sie ganz und gar in ihrem Sarg am Strand? Hoffentlich machte sie der Bloody Larry nicht übermütig. In Jamaika konnte man als Vampir schnell zu Staub zerfallen. Aber Oma Zezci war alt genug, um auf sich aufzupassen. Allerdings auch verrückt genug, um das zu vergessen.

Silvania beschloss, Opa Gobol die Postkarte vorzulesen. Er lag auf der Anrichte im Wohnzimmer im Tonaschenbecher. Bei einem Griechenlandurlaub war er an einer Knoblauchvergiftung gestorben und zu Staub zerfallen. Oma Zezci konnte damals nicht mehr tun, als seine Überreste in ihrem Aschenbecher einzusammeln. Obwohl sie die ganzen 13.533 Jahre Ehe nur gestritten hatten, war Oma Zezci dann doch ganz schön traurig gewesen. Vielleicht, weil sie niemanden mehr zum Streiten hatte. 13.533 Jahre sind eine lange Zeit. Da gewöhnt man sich aneinander.

Silvania war in Gedanken noch am Strand in Jamaika, als es klingelte. Doch aus den Augenwinkeln nahm sie die blitzschnelle Bewegung ihrer Schwester wahr. Daka schob mit einem lauten *Ratsch!* den Stuhl zurück und war schon auf halbem Weg zur

Bankreihe am Fenster, in der Helene saß. Silvania sprang auf. Sie wollte die fünf Minuten Pause zwischen Geschichte und Geo ebenfalls mit Helene, ihrer hoffentlich (bestimmt, ganz sicher) bald allerbesten Freundin verbringen. Silvania musste sich sehr zusammenreißen, dass sie nicht einfach gegen die radikale Regel Nummer eins (kein Fliegen bei Tageslicht) oder Nummer sechs (kein Flopsen) verstieß.

Doch nach ein paar Schritten wurden Daka und Silvania beide abrupt gestoppt. Ein Schrank stand vor ihnen. Der Schrank hatte kurze braune Haare, eine große runde Knollennase und kleine, spöttisch funkelnde Augen. Der Schrank hatte auch einen Namen. Er hieß nicht Billy und auch nicht Träby wie die Schränke in einem schwedischen Möbelhaus, sondern Lucas Glöckner.

„Gibt es in Seichenwürgen auch Friseure?", fragte er.

Daka stöhnte. So war es die letzten Tage immer gewesen: Im unpassendsten Moment tauchte Lucas auf und stellte unpassende Fragen.

„Das heißt nicht Seichenwürgen, sondern Siebenbürgen", zischte Silvania. „Und natürlich gibt es bei uns Friseure."

„Warum seid ihr dann nicht mal zu einem hingegangen?" Er deutete auf Dakas Seeigelkopf und lachte. Er versuchte, monstermäßig tief zu klingen. Silvania und Daka fanden, er hörte sich wie ein gackerndes Huhn an.

Daka streckte Kinn und Brust vor. „Gibt es in Bindburg eigentlich ein Schwimmbad?"

105

Lucas runzelte die Stirn. „Klar, sogar mehrere."

„Warum steckst du den Kopf da nicht mal unter Wasser und wartest, bis ein Fisch vorbeikommt, dem du deine Fragen stellen kannst?", erwiderte Daka.

Lucas runzelte noch immer die Stirn. Dann erschien zwischen seinen Augen eine tiefe Falte. „He, das war jetzt aber nicht nett!"

Daka und Silvania beachteten Lucas bereits nicht mehr. Sie zwängten sich an der Seite an ihm vorbei. Sie mussten zu Helene, bevor die Pause vorüber war. Doch neben Helenes Tisch stand Rafael Siegelmann. Das war in den letzten Tagen auch immer so gewesen.

Wenn Lucas der Schrank war, dann war Rafael der Kleiderständer. Er war der Größte und Dünnste der 7 b. Er hatte blonde Haare, und sein Seitenscheitel erinnerte an eine Butterflocke auf einem Frühstücksbüfett. Wenn er eilig über den Schulflur zur nächsten Stunde lief, hatte er den Kopf leicht eingezogen, und seine Schultern fielen nach vorne, als würden unsichtbare Gewichte daran hängen. Aber wenn er einen Lehrer grüßte, sich meldete oder an die Tafel gerufen wurde, schoss sein Kopf in die Höhe, die Schultern nach hinten, und die Butterflocke kräuselte sich.

„Fumpfs!", flüsterte Daka. „Was will Rafael denn schon wieder bei Helene?"

Silvania zuckte die Schultern. „Einfach Bester sein, auch bei ihr."

Rafael war Bester in Mathe, Deutsch, Physik, Chemie, Biologie, Englisch, Geografie und Geschichte.

Er war Bester im Stillsein, Mitschreiben, Melden, Pünktlichsein, Ordentlichsein, im Lehrer-freundlich-Grüßen, im Nicht-bei-Rot-über-die-Ampel-Gehen, im Hand-vorm-Mund-beim-Gähnen und im Bestersein.

Silvania sah traurig zu Helene. „Meinst du, die beiden sind schon beste Freunde?"

„Gumox!" Daka konnte nicht glauben, dass Rafael Helenes Freund war. Denn im Freundsein, da war sich Daka sicher, war Rafael nicht der Beste. Daka ging mit großen Schritten zu Helene. Silvania folgte ihr.

Als sie bei Helene ankamen, klingelte es. Rafael drehte sich um, seine Butterflocke wackelte. Er beäugte Daka und Silvania kurz, zog eine Augenbraue hoch und sagte: „Ihr seid spät dran. Ich glaube, es hat gerade geklingelt." Dann grinste er.

„Ja, am besten, du setzt dich schnell auf deinen Platz", meinte Daka.

Rafael schielte zu Herrn Graup, der bereits vor der Klasse stand und die Ärmel seines dunkelblauen Hemdes hochkrempelte. Dann sah er zu Helene. „Also, wir sehen uns wie verabredet, ja?"

Helene nickte.

Silvania schluckte. Helene verabredete sich mit Rafael! Dabei sollte sie sich doch mit *ihr* verabreden. Daka ging es genauso. Den Zwillingen blieb keine Zeit für lange Reden. Sie mussten handeln. Sofort.

„Wollen wir im Kino morgen zusammen den Horror filmen?", schoss es aus Silvania heraus.

Helene zog die Augenbrauen hoch. „Du willst mit mir morgen im Kino den Horrorfilm sehen?"

Silvania nickte und strahlte, als gäbe es nichts Schöneres auf der Welt als Horrorfilme. Dabei mochte sie die gar nicht. Genau genommen fürchtete sie sich in solchen Filmen. Aber Helene hatte Silvania erzählt, dass sie Horrorfilme liebte und unbedingt in den aktuellen Gruselstreifen wollte, der erst ab 16 war. Silvania fand, dass man für seine baldige allerbeste Freundin Opfer bringen musste.

„Komm doch danach einfach bei mir vorbei", schlug Daka vor. „Wir können in meiner Zimmerhälfte sitzen und mit Karlheinz spielen."

„Karlheinz?"

„Mein Blutegel."

Helene zuckte zusammen. Ob Karlheinz oder Herr Graup der Grund war, der gerade lautstark auf den Tisch klopfte, blieb unklar. „Okay", flüsterte Helene. „Wir besprechen alles nach der Schule auf dem Heimweg."

Die drei Mädchen nickten einander zu, und Daka und Silvania huschten unter dem finsteren Blick des Klassenlehrers zurück zu ihrer Bank. Herr Graup kündigte an, über „ein sehr ernstes Thema" zu reden, und warf eine Abbildung zum Treibhauseffekt an die Wand. Das Thema war ernst, und Herr Graup war überhaupt nicht lustig. Trotzdem mussten Daka und Silvania grinsen. Warum? Weil sie der Gedanke an den Heimweg mit Helene herrlich im Bauch kitzelte.

Ein Papa kommt selten allein

Mihai Tepes lehnte mit ausgestreckten Armen an seinem flaschengrünen Dacia. Der Dacia stand in der Ringelnatzstraße vor der Gotthold-Ephraim-Lessing-Schule. Ab und zu fuhr Herr Tepes mit einem Ärmel über die Motorhaube. Ganz sanft, als würde er ein Baby streicheln.

Es war ein Dacia 1300, Baujahr 1974. Er hatte vier Gänge, war ein Vierzylinder und hatte 54 PS. Der Dacia fuhr mit einer Höchstgeschwindigkeit von 145 km/h bei einem Verbrauch von 8,5 Litern pro 100 Kilometer. Opa Gustav war schleierhaft, warum Mihai Tepes an der alten Dreckschleuder hing. Er war der Meinung, der Wert des Dacias ließe sich schon verdoppeln, wenn man ihn volltankte. Doch Mihai Tepes liebte seinen „rumänischen Volkswagen". Er hatte es nicht übers Herz gebracht, den Wagen alleine in Siebenbürgen zurückzulassen. Aber eine Fahrt mit dem Dacia von Rumänien nach Deutschland kam nicht infrage. Das Auto war so altersschwach, dass es womöglich irgendwo in der Großen Ungarischen Tiefebene liegen geblieben wäre. Deshalb hatte Mihai Tepes sein Auto mit dem Zug von Transsilvanien nach Deutschland bringen lassen. Und heute – endlich – war der Dacia angekommen! Mihai Tepes ließ es sich nicht nehmen, seine Töchter damit von der Schule abzuholen. Sicher würden sie sich freuen.

Ein glänzend neuer Volvo parkte vor dem Dacia ein. Der Fahrer beäugte den flaschengrünen Oldtimer im Vorbeigehen. Herr Tepes klopfte auf die Motorhaube, lächelte und sagte: „Original Automobilfabrik Piteş ti. Spitzenqualität!" Sein Lakritzschnauzer kräuselte sich vor Stolz.

Der Volvofahrer nickte und ging schnell weiter.

Ein lautes Klingeln ertönte aus dem alten Schulgebäude. Kurz darauf öffneten sich die schweren Holztore, und Kinder, zahlreich wie Ameisen, rannten die Steinstufen zur Straße hinab. Es sah aus, als wäre die Schule ein Milchtopf, der am Überkochen war. Immer mehr Schüler brodelten aus dem Gebäude. Je jünger die Schüler, desto schneller rannten sie. Je älter die Schüler, desto lässiger schlurften sie.

Herrn Tepes' Töchter waren im mittleren Schlurfalter. Sie kamen im mäßigen Tempo die Treppe herunter. Herr Tepes erkannte sie sofort zwischen den anderen Schülern. Sie waren nicht so bunt gekleidet, redeten und gestikulierten nicht so viel und ... sahen einfach anders aus.

Daka hätte mit ihrer Seeigelfrisur und der übergroßen Sonnenbrille als Rockstar aus einem Schwarz-Weiß-Musikmagazin von 1978 durchgehen können. Silvania hätte mit ihrem Hut und dem akkurat geschnittenen Rock gut in einen alten englischen Roman gepasst (in dem es natürlich um Liebe, Verrat, Leidenschaft und Ehre ging). Herr Tepes war sehr zufrieden, dass sich seine Töchter von der Masse abhoben. Schließlich waren sie ja auch anders als alle anderen an der Schule. Das konnten sie ruhig zeigen.

Zwischen Daka und Silvania lief ein blondes Mädchen. Sie war normal in Jeans und T-Shirt gekleidet, aber sie leuchtete wie ein Engel, fand Mihai Tepes. Vielleicht lag es an den hellen Haaren oder an den funkelnden Augen. Ihr linker Arm war von oben bis unten bemalt. Oder waren das echte Tätowierungen? Auf einmal hob das Mädchen einen Arm und winkte. Herr Tepes zeigte fragend auf sich. Er sah sich um. Dann bemerkte er, dass das blonde Mädchen nicht zu ihm sah, sondern zu dem blauen Audi, der gerade hinter ihm einparkte.

„Papa!", rief das Mädchen.

„Papa?!", riefen Daka und Silvania gleichzeitig, blickten ihren Vater mit großen Augen an und liefen die letzten Stufen hinab.

Doch Mihai Tepes sah und hörte seine Töchter nicht mehr. Er hatte nur noch Augen und Ohren für den Fahrer des blauen Audis. Der war mit einem Satz aus seinem Wagen gesprungen und kam auf Herrn Tepes zugestürmt.

„SIE!", rief der Mann mit hochrotem Kopf. Die Augen hinter seiner kleinen runden Brille glühten und schienen Feuer zu sprühen. Er hatte den Zeigefinger ausgestreckt und zeigte wie mit einer Pistole auf Mihai Tepes. „SIE waren es. Ich erkenne Sie genau wieder!"

Herr Tepes zog an den Kragenspitzen seines schwarzen Umhangs, strich sich den Schnauzer glatt und warf seine pechschwarze Mähne mit Schwung nach hinten. „Pardon?"

„Leugnen Sie nicht! Mich können Sie nicht täu-

schen. Sie sind nachts in meine Wohnung einge-
drungen und haben versucht, mich zu ... zu ..." Der
Mann schnappte nach Luft, „ZU BEISSEN!"

Herr Tepes zog eine Augenbraue hoch. „Na, so
was?"

Daka und Silvania sahen bestürzt zwischen ihrem
Papa und Helenes Papa hin und her.

Helene musterte Herrn Tepes neugierig.

Herr Dr. Steinbrück fuhr sich durch die dünnen
graublonden Haare, die sich an der Stirn bereits zurückzogen. Seine Stirn leuchtete wie Rotkäppchen
im Wald. Mit hastigen Blicken sah sich Helenes
Papa nach allen Seiten um, zeigte auf Herrn Tepes
und rief: „Dieser Mann ist gemeingefährlich! Er ist
geisteskrank, ein Ungeheuer, er gehört in eine Anstalt!"

Herr Dr. Steinbrück wollte noch mehr Vorschläge
machen, wohin man Mihai Tepes am besten bringen konnte, doch seine Tochter zog ihn am Arm.
„Lass uns fahren, Papa", sagte sie.

Herr Dr. Steinbrück schluckte dreimal, dann
nickte er langsam. Er hörte auf seine Tochter. Das
war sehr vernünftig. Bevor er die Tür von seinem
blauen Audi zuknallte, fixierte er Herrn Tepes noch
mal mit den Augen, senkte den Blick und sagte langsam: „Sie hören noch von meinem Anwalt."

Dann setzte er sich in den Wagen. Helene stieg auf
der Beifahrerseite ein. Sie hielt kurz inne und sah
mit ausdrucksloser Miene zu Daka und Silvania.

In dem Moment sah Silvania etwas an der Tasche
von Helenes Jeanshose aufblitzen. Es sah aus wie

ein Kettenband. Ein feines, goldenes Kettenband. Ein Kettenband, wie es zu Silvanias Kette gehörte.

Eine Sekunde später schlug Helene die Beifahrertür zu, und der blaue Audi brauste auf der Ringelnatzstraße davon. Die Zwillinge sahen dem Wagen mit offenen Mündern nach. Die Augen von Herrn Tepes verengten sich zu Schlitzen. Doch um seinen Mund spielte ein feines Lächeln.

An der großen Kastanie neben der Schultreppe lehnte eine schmächtige Gestalt und beobachtete die Szene mit wachsamen, ockerfarbenen Augen. Ludo Schwarzer wandte seinen Blick nicht von den Zwillingen und ihrem Vater ab, bis sie sich im knatternden Dacia von der Schule entfernten.

Vorsicht, Herzensbrecher!

Daka saß auf dem Beifahrersitz, hatte die Füße auf das Armaturenbrett gelegt und raufte sich die Haare. „Krötz jobju suchoi murja!", murmelte sie. (Das ist ein schlimmer vampwanischer Schimpfausdruck. So schlimm, dass man ihn eigentlich nicht übersetzen kann.)

Herr Tepes blickte kurz irritiert zu ihr herüber, bevor er wieder auf die Straße sah. „Was?"

Silvania, die auf dem Rücksitz saß, hatte die Arme um Dakas Kopfstütze geschlungen und warf ihrem Vater einen verständnislosen Blick zu. „Fumpfs, fumpfs und nochmals fumpfs!", zischte sie durch die Zähne hindurch.

Herr Tepes runzelte die Stirn. „WAS?"

Daka stöhnte. „Der Mann mit dem blauen Auto eben. Weißt du, wer das war?"

„Ja. Ein aufgeblasener, nichtsnutziger, scheinheiliger Wichtigtuer", erwiderte Herr Tepes.

„Das war Helene Steinbrücks Papa", klärte Silvania ihren Vater von der Rückbank auf.

Herr Tepes zog seinen Lakritzschnauzer hoch. „Pah! Und wenn es der Papa vom König von China wäre –" Herr Tepes hielt inne. „Wer ist Helene Steinbrück?"

„Helene Steinbrück ist das schönste, schlauste, coolste, interessanteste und netteste Mädchen der ganzen Schule, und beinahe wäre sie unsere Freundin geworden", ratterte Daka herunter.

„Na, da habt ihr ja noch mal Glück gehabt, was?" Herr Tepes grinste seinen Töchtern zu, kniff aber schnell die Lippen aufeinander, als er die ernsten Gesichter der Zwillinge sah.

„Hast du Herrn Steinbrück gebissen? Ja oder nein?", fragte Silvania.

Herr Tepes sah einen Moment schweigend stur auf die Straße. Dann murmelte er: „Das hätte ich gerne. Aber dieser Schlabberblutbeutel schläft mit einer Nackenstütze. Eine Nackenstütze! Das müsst ihr euch mal vorstellen!"

„Warum?", fragte Daka.

„Das frage ich mich auch." Herr Tepes nickte vor sich hin.

„Nein, ich meine, warum wolltest du ihn beißen?"

„Weil dieser Halbglatzenmacho ein Frauenverführer der übelsten Sorte ist!", rief Mihai Tepes und klopfte dabei aufs Lenkrad, dass die Hupe losging.

Silvania zuckte zusammen. Der Schreck rüttelte bei ihr eine Erinnerung wach. „Daka", sagte sie und kniff ihre Schwester in die Schulter. „Weißt du, wie Herr Steinbrück ohne Brille aussieht?"

Daka runzelte die Stirn. „Besser?"

„Nein, wie Peter. Du weißt schon, der nette Vermieter von Mamas Klobrillenladen."

Daka schlug sich vor die Stirn. „Peter ist Dr. Steinbrück, Helenes Papa und Mamas Vermieter in einer Person!"

„Dieser sogenannte *nette* Vermieter", begann Herr Tepes, „ist hauptberuflich Zahnarzt. Und wir wissen ja alle: Zahnärzte können keine guten Menschen sein." Herr Tepes zog kurz den Lakritzschnauzer hoch und entblößte seine makellosen spitzen Eckzähne, die so lang wie Zahnstocher waren. Ein ungarischer Zahnarzt wollte Mihai Tepes in seiner Jugend eine Zahnspange verpassen, ein österreichischer Zahnarzt wollte ihm sogar einen Eckzahn ziehen. Seitdem war er nicht gut auf Zahnärzte zu sprechen. „Der Laden, den er Elvira vermietet hat, liegt direkt unter seiner Praxis. Direkt darunter. Wand an Wand. Stundenlang. Ist es nicht eine Frechheit?"

„Wieso?", fragte Daka.

„Weil dieser Dr. Steinbrück nicht nur Zahnarzt, Helenes Papa und Mamas Vermieter ist, sondern ein zwar nebenberuflich tätiger, aber dennoch höchst professioneller Playboy, Casanova und Herzensbrecher!"

„So sieht er aber gar nicht aus", fand Silvania.

„Alles nur Tarnung", meinte Herr Tepes.

„Was genau macht eigentlich ein Playboy?", wollte Daka wissen.

Herr Tepes beachtete ihre Frage nicht. „Hauptberuflich bohrt er am Tag ein, zwei Löcher, und nebenberuflich tigert er um meine Frau herum, überschüttet sie mit Blumen und Komplimenten und wer weiß was noch!"

„Das macht ein Playboy?" Daka sah ihre Schwester Hilfe suchend an.

Silvania winkte ab. Sie ließ sich auf der Rückbank an die Lehne fallen und verdrehte die Augen.
Sie kannte sich aus mit Liebe, Eifersucht und Tragö-
dien. Zumindest theoretisch. Alles, was zwischen
zwei Buchdeckeln steckte und nach Herzschmerz
klang, verschlang sie. Aber noch nie war ihr zwischen zwei Buchdeckeln jemand begegnet, der so
eifersüchtig war wie ihr Papa.

Silvania sah aus dem Fenster. Die ersten Häuser
der Reihenhaussiedlung tauchten auf. Sie spürte ein
Ziehen in der linken Schulter und tastete unwillkür-
lich am Hals nach ihrer Kette. Dann fiel ihr ein, dass
die Kette verschwunden war und die Heimaterde an
der Armbanduhrunterseite mit Tesa klebte. Silvania
rieb die Uhr am Handgelenk. Dabei dachte sie an
Helene. Hatte wirklich ein goldenes Kettenband
aus ihrer Hosentasche geblitzt? Alles ging so schnell.
Vielleicht irrte sich Silvania auch. Bestimmt.

Doch Silvania Tepes sah normalerweise so schnell
und so gut wie ein Adler.

Radical Rage Jam

Im Lindenweg Nummer 23 parkte Herr Tepes quer auf dem kleinen Rasenstück vor dem Haus (er fand, der flaschengrüne Dacia machte sich dort prächtig) und verzog sich dann schnell zum Schläfchen in den Keller. Für seinen Geschmack war der Tag viel zu sonnig. Und seine Töchter waren viel zu schlecht gelaunt. Warum, war ihm ein Rätsel. Aber er hatte es schon vor 1356 Jahren aufgegeben, Frauen verstehen zu wollen, auch wenn sie seine eigenen Töchter waren. Dass sie zwölf waren, machte die Sache nicht gerade einfacher.

Silvania und Daka trotteten in ihr Zimmer. „Wieso muss er unbedingt Helenes Papa beißen?", fragte Daka.

„Jetzt redet Helene bestimmt kein Wort mehr mit uns", meinte Silvania.

Daka starrte vor sich hin. „Ich kann vergessen, dass sie morgen vorbeikommt und mit Karlheinz spielt."

„Ins Kino will sie sicher auch nicht mehr."

„Ich war so kurz davor, und wir wären die dicksten Freundinnen gewesen." Daka zeigte mit Daumen und Zeigefinger, wie kurz davor sie war. Eine Briefmarkendicke.

„Und ich war schon mittendrin." Silvania seufzte. „Ein bissiger Papa ist die totale Kontaktbremse."

„Fumpfs."

„Du sagst es."

„Und jetzt?", fragte Daka.

„Jetzt hilft erst mal nur eins."

Wie auf Kommando standen die Mädchen auf. Silvania packte ihr Cello aus dem Kasten, und Daka nahm ihre Sticks und setzte sich hinter ihr Schlagzeug. Sie schlug die Sticks zusammen und rief: „Onu, zoi, trosch!", dann schlug sie mit voller Kraft auf die Drums. Wie die Segel einer Windmühle im Sturm sausten Dakas Arme auf das Schlagzeug nieder. Dazu schrie sie aus Leibeskräften: „YEAH, YEAH, YEAH!"

Silvania strich mit dem Bogen über ihr Cello und warf dabei den Kopf vor und zurück, als bekäme sie gerade einen Stromschlag. Ein paar Bogenhaare rissen, aber Silvania bemerkte es gar nicht. Sie hatte die Augen geschlossen und presste die Lippen vor Anstrengung aufeinander.

Silvania und Daka taten das alles nicht, um ihren Vater, der im Keller schlief, zu ärgern. Selbst wenn sie gewollt hätten, konnten sie das nicht. Herrn Tepes' Sarg war zu gut isoliert. Außerdem hatte Herr Tepes einen festen Schlaf, vor allem tagsüber. Silvania und Daka spielten nur für sich. (Vermutlich hätte auch kein anderer diese „Musik" hören wollen. Außer Karlheinz.)

Ihr alter Musiklehrer in Bistrien hätte es freie Improvisation genannt, Daka nannte es *Radical Rage Jam*. Sie war nicht gut für die Ohren, aber gut für den Bauch. Vor allem, wenn man jede Menge Wut und Trauer darin hatte, die irgendwohin mussten. Während Silvania sich mit beiden Beinen fest in den Boden drückte, hob Daka hin und wieder zu einem schnellen Looping ab. „BOI, BOI, BOI!", rief sie dann und schlug in der Luft die Sticks zusammen.

Daka und Silvania *dachten*, dass sie nur für sich spielten. Was sie nicht wussten, war, dass ihre Mutter die Terrassentür offen stehen gelassen hatte, bevor sie mit zwanzig Klobrillen in die Stadt gefahren war. Sie wussten außerdem nicht, dass ihr Schlagzeugwirbel und ihre Celloschwingungen sich wie eine akustische Rauchwolke den Lindenweg entlangschlängelten. Besonders im Nachbarhaus, Lindenweg 21, waren sie deutlich zu hören. Die Zwillinge konnten nicht wissen, dass Dirk van Kombast auf seiner Terrasse stand und zur offenen Terrassentür der Tepes' hinüberschielte. Sie konnten erst recht nicht wissen, was in seinem Kopf vor sich ging. Da kam Dirk van Kombast manchmal selbst nicht ganz mit.

Unbekanntes Flugsubjekt

Dirk van Kombast lauschte mit schräg gelegtem Kopf den krankhaft schiefen Klängen, die aus dem Haus der Tepes' kamen. So etwas hatte er noch nie gehört. Es klang, als würden sich wild gewordene Affen in einem Orchestergraben austoben. Dirk van Kombast steckte sich den Zeigefinger ins Ohr und wackelte, doch davon wurde es nicht besser. Er schüttelte den Kopf, als hätte er Wasser in den Ohren. Auch das funktionierte nicht. Das Affengeschrammel blieb.

Er hatte Nr. 23 den ganzen Nachmittag beobachtet.

Subjekt E.T. hatte vor einer Stunde das Haus verlassen. Mit (Dirk van Kombast war sich nicht sicher, aber es sah fast so aus) ungefähr zwanzig Klobrillen. Subjekte M.T., S.T. sowie D.T. waren vor einer halben Stunde mit einem altertümlichen Automobil nach Hause gekommen. Sie waren ohne ein Wort in der Wohnung verschwunden, und dann war der Krach losgegangen.

Dirk van Kombast lehnte sich zur Nachbarterrasse hinüber und flüsterte in Gedanken: „Mami, wenn du das hören könntest. Es würde dich in den Wahnsinn treiben. Wenn du nicht schon wahnsinnig wärest." Zwischen den Trommelwirbeln schrie eine grelle Stimme etwas wie „Hoi" oder „Boi".

Was hatte das alles zu bedeuten? Dirk van Kombast beschloss, es herauszufinden.

In seinen kuschelweichen, himmelblauen Hausschuhen schlich er lautlos auf die Terrasse der Tepes! Die große Glastür zum Wohnzimmer stand offen. Herr van Kombast klopfte an den Holzrahmen. „Hallihallo? Ist jemand zu Hause?", fragte er. Er steckte den Kopf ins Wohnzimmer und sah sich um. Der Raum war menschenleer. Dirk van Kombast schlüpfte durch die Tür und trat ins Wohnzimmer. Er war fast ein wenig enttäuscht. Der Raum sah ziemlich normal aus. Die Möbel waren alt, an der Decke hing ein großer Kronleuchter, der Teppich war hell und flauschig, und vor der Couch stand ein Katzenklo. Die Katzenstreu darin sah verdächtig dunkel aus.

Auf leisen Hausschuhsohlen ging Dirk van Kombast weiter in den Flur. Der Lärm kam von oben. Trotzdem warf er einen kurzen Blick in die Küche. Bei Nachbarn, die Schnaps mit Afterraupen verschenkten, konnte man nicht vorsichtig genug sein. In der Küche sah es chaotisch aus, aber ansonsten konnte Dirk van Kombast nichts Ungewöhnliches entdecken.

Langsam stieg er die Holztreppe hinauf. Die Tür des Zimmers, aus dem der Krach kam, war nur angelehnt. Herr van Kombast zögerte. Der Lärm hörte sich gerade so schrill, verzerrt und ohrenbetäubend an, dass er einen Moment daran dachte, schnell wieder die Treppe hinunter und über die Terrasse zurück zum Grundstück Nummer 21 zu laufen.

Er könnte sich mit einer Segelzeitschrift und einem Glas Buttermilch einen gemütlichen Nachmittag machen. Er könnte Herrn Dr. Bohne, den Hals-Nasen-Ohren-Arzt, anrufen und sich zum Squash verabreden. Er könnte sich mal wieder die Nasenhaare rasieren, ein Vollbad mit Bourbon-Vanille-Zusatz nehmen oder sich die Fußhornhäute abfeilen. Die Möglichkeiten waren vielseitig und verlockend.

Dirk van Kombast starrte auf die angelehnte Tür, dann blickte er kurz zurück auf die Treppe. Er schüttelte den Kopf. „Ich tue es für dich, Mami", flüsterte er. Mit einem Schritt war er bei der Tür. Er schob sie vorsichtig ein Stückchen weiter auf und spähte in das Zimmer. Was er sah, ließ seine Nasenhaare vibrieren und ihm den Mund offen stehen.

Silvania Tepes, das Mädchen mit den altmodischen Röcken und Hüten, hing wie ein Neandertaler über einem Cello und bearbeitete es mit dem Bogen, als wollte sie das Instrument zersägen. Dakaria Tepes erkannte Dirk van Kombast zunächst nicht. Er sah nur ein Schlagzeug, über dem sich eine schwarze, stachelige Kugel in der Luft drehte. Die Stachelkugel rief „YEAH, YEAH, YEAH!" und schlug mit zwei Drumsticks aufeinander. Erst als Daka nach dem Looping mit einem WUMMS! wieder auf dem Schlagzeughocker landete, erkannte Dirk van Kombast sie. Er starrte Daka an, sein Mund stand offen, doch es kam kein Ton heraus.

Das machte nichts. Silvania und Daka hätten den Nachbarn sowieso nicht gehört. Sie waren mitten in der *Radical Rage Jam*. Erst als Silvania den Kopf nach hinten warf, wobei ihr Hut auf den Fußboden flog, entdeckte sie den Nachbarn. Er stand wie eine Wachsfigur von Madame Tussaud in der Zimmertür. Silvania ließ vor Schreck den Cellobogen fallen. Das Cello verstummte.

Daka hatte die Augen geschlossen und schlug mit voller Kraft auf das Schlagzeug ein. „Onu, zoi, trosch, boi schlappo noku mosch, BOI, BOI, BOI!", schrie sie dabei.

Silvania schielte zu ihrer Schwester und räusperte sich. Das Räuspern ging im Schlagzeuglärm unter wie das Piepen einer Maus bei Löwengebrüll. Bevor Daka zum nächsten Looping ansetzen konnte, nahm Silvania ihren Schuh und warf ihn Daka an den Kopf.

Es wirkte. Daka unterbrach die *Radical Rage Jam*. „He, was soll denn das? Keine Gewalt. Peace, Schwester!"

Silvania deutete mit den Augen zur Tür.

„Hä?" Daka rieb sich den Kopf.

Silvania setzte ein Lächeln auf und wandte sich an die Wachsfigur. Selbst mit offenem Mund und verdutztem Blick sah Herr van Kombast noch gut aus, fand sie. „Guten Tag, Herr van Kombast."

Daka sah endlich zur Tür. „Oh. Hallo." Geräuschvoll zog Daka die Nase hoch. Es roch schon wieder unangenehm nach Knoblauch.

„Ich hoffe, unsere ... Musik hat Sie nicht gestört?", fragte Silvania.

Herr van Kombast blieb stocksteif stehen. Nur seine Augen wanderten zwischen den Zwillingen hin und her. Dann hob er langsam die Hand und zeigte auf Daka. „Du!" Er holte dreimal tief Luft. „Du bist eben geflogen."

Daka sah sich um, wen Dirk van Kombast wohl meinen könnte. „Wer? Ich?" Dann lachte sie laut, und Silvania stimmte in das Lachen ein. Die Mädchen hofften, dass ein Mann, der immer ein Nussknackerlächeln zur Schau trug, nicht merkte, wie künstlich ihr Lachen klang.

Dass Herr van Kombast immer ein Nussknackerlächeln trug, stimmte nicht ganz. Es gab Ausnahmen. Wie jetzt zum Beispiel. Sein Mund war ein dünner Strich. Die Oberlippe zitterte leicht. Er hatte den Zeigefinger noch immer auf Daka gerichtet. „Ich habe es mit eigenen Augen gesehen. Du – bist – geflogen."

„Echt?" Daka runzelte die Stirn. Dann zuckte sie die Schultern. „Na ja, wenn Sie es so genau gesehen haben, wird es schon stimmen, was? Wie bin ich denn geflogen? Wie eine Hummel, wie ein Flugsaurier oder wie ein Pinguin?"

Dirk van Kombast schnaufte kurz, als wäre er ein Stier in der Arena. „Wie eine Feuerkugel."

Daka zog die Augenbrauen nach oben. „Interessant. Hast du das gehört, Silvania?"

Ihre Schwester nickte. „Eine Feuerkugel. Ich kann mir das gar nicht vorstellen. Könnten Sie das vielleicht mal vormachen?"

Herrn van Kombasts Zeigefinger wanderte zu Silvania. „Ihr! Wenn ihr mich veralbern wollt, müsst ihr früher aufstehen!"

„Ich kann auch mitten in der Nacht aufstehen, kein Problem", meinte Daka und gähnte.

Herr van Kombast richtete den Zeigefinger abwechselnd auf Silvania und auf Daka, als wäre er eine Pistole, mit der er die Zwillinge in Schach halten wollte. Er suchte nach einer cleveren Antwort, aber ihm fiel keine ein. Das Problem war, dass sich Herr van Kombast mit Kindern nicht auskannte. Er mochte Kinder nicht besonders, hatte keine und wollte auch keine. Denn Kinder waren einfach unberechenbar. Sie hielten sich nicht an die Regeln, stellten merkwürdige Fragen und mussten in unpassenden Momenten aufs Klo oder etwas essen. Kinder waren für Dirk van Kombast nichts als ein Risikofaktor. Er wusste nicht, wie man das Risiko in den Griff bekam. Kinder waren ihm nicht geheuer.

„Machen Sie die Feuerkugel vor? Nur ganz kurz? Bitte!" Silvania lächelte wie bei der Schuleinführung.

Dirk van Kombast hasste es, nicht ernst genommen zu werden. Er war 38 Jahre. Er hatte einen ordentlichen Job. Er fuhr einen silbernen Sportwagen. „Schluss jetzt!", rief er. „Werdet nicht frech, sonst ... sonst ..."

„SONST?", fragte Elvira Tepes, die plötzlich hinter Herrn van Kombast stand.

Er fuhr herum. „Subjekt E.T.", flüsterte er erschrocken.

„Wie bitte?"

„Äh ..." Herr van Kombast räusperte sich, drückte den Rücken durch und ... da war es wieder, das

Nussknackerlächeln. „Einen wunderschönen guten Tag, Frau Tepes." Er schielte auf die Klobrille, die Frau Tepes unter den Arm geklemmt hatte. Sie hatte Spinnweben und Würmer daraufgemalt. Es sollte eine Überraschung für ihren Mann sein. Sie hoffte, ihn damit dazu zu bringen, nicht jede Nacht mit der Klopapierrolle in den Wald zu fliegen.

„Ebenfalls. Darf ich fragen, was Sie hier machen?" Elvira Tepes sah von Herrn van Kombast zu ihren Töchtern und zurück.

„Die Terrassentür stand offen, und da ..."

„Sind Sie einfach ins Haus gegangen?"

„Natürlich! Das hätte jeder an meiner Stelle getan."

„Soll das heißen, Sie gehen in jedes Haus, wo eine Tür offen steht?"

„Nein. Nur wenn etwas verdächtig ist." Herr van Kombast lächelte geheimnisvoll. Er hatte noch einen Trumpf in der Tasche und brannte darauf, ihn zu zücken.

„Ach. Und unser Haus ist verdächtig? Wie kommen Sie denn darauf?"

„Zum einen war da dieser ohrenbetäubende Krach ... und so manch andere Merkwürdigkeit." Dirk van Kombast sah kurz zu Daka.

„Sie können ruhig offen reden. Wir haben keine Geheimnisse." Frau Tepes pokerte hoch. Aber sie wirkte sehr glaubwürdig. Ihr fielen zwar selten die besten Lügen ein, doch zum Glück bekam sie bei Aufregung, Lügen und Ärger nie einen roten Kopf, sondern nur feuchte Hände. Solange ihr die Klobrille nicht aus der Hand rutschte, würde das niemand merken.

„Dann haben Sie sicher eine Erklärung für Ihre fliegende Tochter."

Frau Tepes sah mit ausdrucksloser Miene zu den Zwillingen. Daka zuckte die Schultern. Silvania blickte nach unten und zupfte an ihrem Cello.

„Oder …" Dirk van Kombast griff mit der rechten Hand in die weiße Plastiktüte, die er die ganze Zeit über in der linken Hand gehalten hatte. „Für das hier!"

„AAAH!" Frau Tepes machte einen Satz zurück und ließ die Klobrille fallen. Direkt vor ihrer Nase baumelte eine fette, braune Ratte. Sie war sehr groß. Sehr schmutzig. Und sehr tot. Das Fell war blutverschmiert, und im Nacken konnte man zwei tiefe Löcher erkennen. Es war ein Biss.

Ein tragischer Todesfall

Je höher die Sonne am Himmel stand, desto tiefer schlief Mihai Tepes. Doch an diesem Nachmittag wälzte er sich in seinem Sarg von einer Seite auf die andere. Immer, wenn er kurz vorm Einschlafen war, tauchte das knallrote Gesicht dieses elenden Playboys, Casanovas und Herzensbrechers in Gedanken vor ihm auf. Drehte Herr Tepes sich dann auf die andere Seite, sah er die traurigen Gesichter seiner Töchter vor sich. Wenn er auf dem Rücken lag, blickte er auf sein Hochzeitsfoto, das er an die Innenseite des Sargdeckels geklebt hatte. Auf dem Foto war Elvira neben Herrn Tepes' Anzug zu sehen. Der Kopf und die Hände fehlten.

Herr Tepes war weder ohne Kopf und Hände zur Hochzeit erschienen, noch hatte er auf dem Foto etwas ausgeschnitten oder wegretuschiert. Es war ein ganz normales Hochzeitsfoto, wie es viele in Bistrien gab. Da Vampire nicht mit einer Spiegelreflexkamera fotografiert werden konnten, ließen sich die meisten Ehepaare aber lieber malen. (Es sei denn, sie wollten sich nur an die schicken Hochzeitskleider erinnern und nicht an das Gesicht ihres Ehepartners.)

Mihai Tepes strich langsam auf dem Foto über Elviras Gesicht. Dann seufzte er. Schließlich stieß er den Sargdeckel auf und richtete sich auf. Er wischte sich gerade ein paar Krümel Heimaterde von der Hose, als er einen Schrei hörte. Er erkannte die Stimme seiner Frau sofort.

Eine Sekunde später war er aus dem Sarg gesprungen und lief die Treppe hinauf, schnell und lautlos. Herr Tepes roch den Eindringling, bevor er ihn sah oder hörte. Durch das Haus zog sich eine Geruchsfahne aus Gingseng-Patschuli und Knoblauch von der Terrassentür bis ins obere Stockwerk.

Etwa auf der Hälfte der Treppe hörte er Dirk van Kombast sagen: „Diese Ratte habe ich auf Ihrer Terrasse gefunden, Frau Tepes."

Mihai Tepes hatte die oberste Stufe erreicht und sah, wie seine leichenblasse Frau die Ratte anstarrte, die Dirk van Kombast am Schwanz hielt und vor ihren Augen hin- und herschwenkte.

Bevor seine Frau etwas erwidern konnte, stürmte Mihai Tepes auf Herrn van Kombast zu. Er schlug die Hände zusammen und rief: „Rattatoi! Unsere geliebte Rattatoi! Was haben Sie ihr angetan, Sie Scheusal?"

Herr van Kombast sah irritiert von der Ratte zu Herrn Tepes. „Wie bitte?"

„Mein Frau und meine Kinder stehen unter Schock! Sehen Sie doch nur, wie blass sie sind! Süße, kleine Rattatoi! Tagelang war sie verschwunden, und dann so ein Wiedersehen."

Daka begriff als Erste. Sie ließ die Drumsticks fallen, schlug die Hände vors Gesicht und jammerte: „Ich habe sie immer auf der Schulter getragen. Sie hat nie jemandem etwas zuleide getan."

Silvania holte ein Taschentuch hervor und schnäuzte sich lautstark. „Und ich habe sie mit dem Fläschchen aufgezogen und ihr Schlaflieder vorgesungen. Sie war der Sonnenschein der Familie."

Auch Frau Tepes war mittlerweile aus ihrem Schock erwacht. „So eine liebe Ratte wie Rattatoi gab es nur einmal." Sie schluchzte und tat so, als wolle sie die tote Ratte streicheln, zog im letzten Moment ihre Hand zurück und brach in Tränen aus. „Was haben Sie getan? Sie Tiermörder! Sie gefühlloses Monstrum!"

Herr van Kombast hatte sein Nussknackerlächeln verloren. Sein Mund stand offen. Er sah verwirrt zwischen den Familienmitgliedern hin und her. „Aber ich ... also ... der Kadaver ..."

Bei dem Wort heulten Frau Tepes, Silvania und Daka gleichzeitig los.

Herr Tepes warf seine dunkle Mähne nach hinten und reckte das Kinn vor. „Sie sind gemeingefährlich! Sie sind geisteskrank, ein Ungeheuer, sie gehören in eine Anstalt!"

„Eine Anstalt?" Dirk van Kombasts Oberlippe zitterte.

„Sie sind ein Haustiermörder der übelsten Sorte", fuhr Herr Tepes fort. „Ich werde Sie verklagen!"

„Aber ... nicht doch, ich meine ... die Ratte ... die süße Rattatoi ... ich würde nie ..." Herr van Kombast legte die Ratte sanft auf die Plastiktüte auf den Fußboden. Dann fuhr er sich mit dem Finger zwischen Hals und Kragen, um mehr Luft zu bekommen. „Ich, äh ... ich glaube, mein Telefon hat drüben geklingelt. Ich muss dann leider." Er schlängelte sich zwischen Herrn und Frau Tepes hindurch zur Treppe.

Mihai Tepes fixierte den Nachbarn mit den Augen, senkte den Blick und sagte langsam: „Sie hören noch von meinem Anwalt."

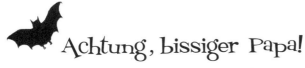

Achtung, bissiger Papa!

Daka kullerte auf dem Fußboden und hielt sich den Bauch vor Lachen. „Der Sonnenschein der Familie!"

Silvania hielt sich am Cello fest und stieß zwischen ein paar Lachern hervor: „Unsere süße, kleine Rattatoi!"

Herr Tepes fuhr sich über seinen Lakritzschnauzer, der sich beim Lachen noch mehr kringelte als sonst.

Frau Tepes betrachtete die Ratte auf dem Fußboden und verzog keine Miene. Dann sah sie zu ihrem Mann. „Wie kommt diese tote Ratte auf unsere Terrasse?"

„Ähm, na ja, also, das kann ich ganz leicht erklären …", begann Herr Tepes, doch seine Frau fiel ihm ins Wort.

„Keine Märchen. Ich will sofort die Wahrheit hören."

„Ach so, na dann. Schade, ich hätte eine gute Geschichte auf Lager gehabt." Mihai Tepes sah den ernsten Blick seiner Frau und fuhr schnell fort: „Die Wahrheit ist ganz einfach und unspektakulär. Ich war eines Nachts hungrig. Das kommt vor. Und … öhm … ein kleines bisschen eifersüchtig war ich auch. Was, dachte ich, hilft dagegen besser als ein Besuch bei deinem reizenden Vermieter?

Es war höchste Zeit, dass ich ihn kennenlerne, und er mich auch mal so richtig. Also bin ich zu diesem Dr. Steinbrück geflogen. Ich wollte mit einem freundschaftlichen Biss gleich mal das Eis brechen, aber traf nur auf seine Nackenstütze. Elvira, hörst du das? Der Kerl trägt eine Nackenstütze! Das ist doch nicht fair! Ich war so perplex, dass ich schnell wieder den Abflug machte. Danach war ich nicht nur hungrig, sondern dazu noch wütend. Na ja, und dann habe ich mir zum Trost eine Ratte gegönnt. Da weiß Vampir, was er hat. Sie tragen im Normalfall keine Nackenstützen."

Elvira Tepes starrte ihren Mann an. „Du hast versucht, meinen Vermieter zu beißen?"

Herr Tepes zuckte die Schultern. „Ich sag ja, es war nichts weiter dabei."

Elvira Tepes fielen bald die Augen raus. „Mihai! Du kannst hier nicht nachts durch die Gegend fliegen und in irgendwelche Menschen beißen."

„Ich habe ihn ja nicht gebissen."

„Aber du wolltest!"

„Was blieb mir denn anderes übrig?"

Elvira Tepes sah ihren Mann verwirrt an. „Ihn vielleicht einfach in Ruhe zu lassen?"

„Dann hätte er vielleicht einfach meine Frau in Ruhe lassen sollen", erwiderte Herr Tepes und verschränkte die Arme. „ER hat angefangen, nicht ICH!"

Silvania und Daka hatten aufgehört zu lachen und das Gespräch mit großen Augen verfolgt. Es war nicht das erste Mal, dass Herr Tepes eifersüchtig

war. Es war auch nicht das erste Mal, dass er Elviras Verehrer einen klärenden nächtlichen Besuch
abstattete. Und es war nicht das erste Mal, dass
ihre Eltern deswegen stritten. Sie wussten, dass sich
ihre Eltern versöhnen würden. Trotzdem fand Silvania das Gespräch aufregend. Es gab einfach nichts
Spannenderes als glühende Leidenschaft, Eifersucht
und Liebesdramen. Sie hatte den Kopf in die Hände
gestützt und lauschte mit heißen Ohren.

Daka dagegen hätte sich am liebsten die Ohren
zugehalten. Es war einfach peinlich, wie sich ihre
Eltern aufführten. Sie waren schließlich *Eltern* –
wieso benahmen sie sich wie Teenager in einem Lie-
besfilm? Daka räusperte sich. „Könntet ihr den Rest
vielleicht im Wohnzimmer klären?"

Herr und Frau Tepes sahen erstaunt auf. Sie hatten
offenbar vollkommen vergessen, wo sie waren. „Oh,
entschuldigt, natürlich", sagte Frau Tepes schnell.

„Aber macht die Terrassentür vorher zu", riet
Daka.

„Und nehmt Rattatoi mit", sagte Silvania.

Ein paar Sekunden später verließen Herr Tepes,
Frau Tepes und Rattatoi den Raum.

Silvania seufzte und ließ sich auf ihr Metallbett
fallen. „Ist das nicht ein wahnsinnig romantischer
Liebesbeweis?"

Daka kratzte sich mit einem Drumstick am Kopf.
„Was? Dass sie Rattatoi mitgenommen haben?"

„Gumox! Ich meine natürlich den Biss. Stell dir
vor, du hättest einen Freund –"

„Warte mal." Daka hob die Hand. „Du meinst so

einen richtigen Freund, der einen mit feuchten Händen anfasst, ständig knutschen will und vor Liebesplemplem schielt? Das kannst du vergessen!"

„Stell es dir doch einfach mal vor. Ihr müsst euch ja nicht anfassen und knutschen. Dann habt ihr eben eine platonische Beziehung."

„Hat das was mit Plateauschuhen zu tun? So von wegen mehr Abstand zueinander?"

Silvania verdrehte die Augen. „Nein. Platonische Liebe ist Liebe ohne Anfassen. Dabei geht es mehr um so etwas wie seelische Verbundenheit."

Daka überlegte einen Moment. „Okay. Das kann ich mir vielleicht vorstellen. Ich habe also einen Plateaufreund. Und dann?"

„Stell dir vor, dass dieser Freund dich so sehr liebt, dass er total eifersüchtig auf alle anderen Jungen ist, und …"

„Was denn für andere Jungen?"

„Na, alle anderen eben. Vor allem die, die auf dich stehen. Und wenn sie dir zu nahe kommen – zack! –, dann beißt dein Freund zu!"

Daka schnalzte mit der Zunge. „Cool."

Silvania nickte. Die Mädchen saßen einen Moment da und hingen ihren Gedanken nach. Silvania sah einen großen, dunkelblonden Jungen vor sich (komischerweise ähnelte er dem Jungen, den sie an der Rolltreppe getroffen hatte). Unter einer Trauerweide an einem See gestand er ihr bei Vollmond seine Liebe, seine Eifersucht und den Biss.

Daka stellte sich einen schwarzhaarigen, jungen Vampir vor (er ähnelte dem Sänger von *Krypton*

Krax). Sie malte sich die Eifersuchtstat genau aus. Ihr junger Plateaufreund schlich sich von hinten an den anderen Jungen heran, riss den Mund auf und bohrte seine makellosen Eckzähne in den blassen Hals des Jungen. Schmatz!

Silvania erwachte als Erste aus ihrem Tagtraum. „Das Blöde ist nur, dass wir nicht mehr in Bistrien, sondern in Bindburg sind. Ich glaube, hier ist es eher ungewöhnlich, dass ein Mann einen anderen aus Eifersucht beißt."

„Noch blöder ist, dass Papa ausgerechnet Helenes Papa gebissen hat. Oder es versucht hat."

Silvania nickte traurig. Das mit der bald allerbesten Freundin und Helene konnte sie wohl vergessen. Plötzlich erinnerte sie sich an etwas. „Übrigens habe ich etwas gesehen. Als Helene vorhin ins Auto eingestiegen ist, hing ein Kettenband aus ihrer Hosentasche. Ein goldenes." Silvania schielte zu ihrer Schwester und wartete ab.

„Du meinst … es war *deine* Kette?"

„Ich weiß es nicht. Es könnte meine Kette sein. Aber es gibt viele goldene Ketten."

„Wieso sollte Helene deine Kette haben? Sie weiß doch, dass du sie suchst."

„Na eben, das denke ich auch. Sagen wir, sie hätte meine Kette gefunden – dann hätte sie mir die Kette doch zurückgegeben."

„Du hast dich bestimmt verguckt. Es war sicher eine andere Kette", meinte Daka.

Silvania nickte energisch. „Es kann gar nicht meine Kette gewesen sein."

In tiefer Nacht

In dieser Nacht tat Mihai Tepes etwas völlig Außergewöhnliches. Er schlief. Zumindest versuchte er es. Seiner Frau zuliebe. Wie Silvania und Daka es vorhergesehen hatten, hatten sich ihre Eltern versöhnt. Elvira hatte Mihai den Biss verziehen und ihm den Würmerklodeckel geschenkt. Herr Tepes hatte eingesehen, dass seine Eifersucht vielleicht, unter Umständen, ein klitzekleines bisschen übertrieben gewesen war. Er wollte gleich in der Nacht zu Herrn Dr. Steinbrück fliegen und sich entschuldigen, doch das hielt seine Frau für keine gute Idee. Sie würde mit ihrem Vermieter reden. Was sie ihm genau sagen würde, wusste sie noch nicht. Wahrscheinlich würde sie behaupten, ihr Mann litte unter einer außergewöhnlichen Krankheit: extreme Eifersucht gekoppelt mit nächtlichem Bisszwang. Ein völlig unerforschtes, seltenes Krankheitsbild. Die Medizin steckte da noch in den Kinderschuhen.

Um die Versöhnung zu feiern, hatte Mihai den Sarg und den Keller verlassen. Jetzt lag er im viel zu weichen Bett seiner Frau. Es roch nach Waschmittel statt nach feuchter Erde, es hatte keinen Deckel, und Mihai hatte das Gefühl, in der Matratze zu versinken. Trotzdem murrte er nicht. Er kuschelte sich an seine Frau und steckte die Nase in ihre wuscheligen roten Haare, die nach Kornblumen und Pistazien rochen. Er atmete tief ein, schloss die Augen und träumte von schönen Sachen. Er träumte von den dichten Wäldern seiner Heimat, von den nachtblauen Augen seiner Frau, von langen Ausflügen mit seinen Töchtern und davon, dass Dr. Steinbrück die restlichen Haare ausfielen.

Elvira Tepes schlief tief und fest. Sie hielt die Hand ihres Mannes im Schlaf umklammert. Nur für alle Fälle.

Im Lindenweg Nummer 21 wälzte sich Dirk van Kombast in seinem Wasserbett von einer Seite auf die andere. Er träumte, er säße nackt auf einer Kirchturmspitze. Um ihn herum flogen vier Ratten in schwarzen Umhängen. Sie hatten spitze Nasen und Barthaare, aber ansonsten sahen ihre Gesichter aus wie die von Mihai, Elvira, Dakaria und Silvania Tepes. Die Ratten lachten teuflisch und prosteten sich mit Schnapsflaschen zu, in denen Würmer schwammen. Die Tepes-Ratten schnüffelten an ihm. Sie kamen immer näher.

Dirk van Kombast wusste auf einmal, was er tun musste: Er musste die Kirchturmglocken läuten und somit Hilfe holen. Er versuchte, mit einem Fuß vor die Glocke zu treten. Die Ratten lachten lauter. Sie kreischten vor Vergnügen. Mit ganzer Kraft holte Dirk van Kombast aus und trat vor die Glocke. Sofort erklang ein ohrenbetäubender Lärm. Doch er kam nicht von der Kirchturmglocke. Der Höllenlärm kam von einem Schlagzeug und einem Cello. Automatisch hielt sich Dirk van Kombast die Ohren zu. Kaum hatte er den Kirchturm losgelassen, fiel er. Er fiel, und fiel … und fiel.

Mit einem Ruck fuhr Dirk van Kombast aus dem Schlaf. Er riss sich die Augenmaske vom Gesicht. Seine Stirn war schweißnass, sein Mund trocken wie nach einer Wüstenwanderung. Er tastete nach dem Wasserglas auf dem Nachttisch. Gierig trank er es mit drei Zügen leer. Dann stand er auf, schlüpfte in seine himmelblauen Puschelhausschuhe und ging zum Fenster. Mit einem Finger schob er die Gardine zur Seite und spähte in die Nacht. Das Haus nebenan war in vollkommene Dunkelheit gehüllt. Als wohnten dort normale, friedliche Menschen. Doch Dirk van Kombast wusste, dass dem nicht so war. Noch hatte er keine Beweise, aber die würden sich finden lassen.

Er nahm ein Knoblauchdragee, küsste das Foto seiner Mutter und ging zurück ins Bett.

Ungefähr fünf Kilometer weiter südlich in der Innenstadt überprüfte Herr Dr. Peter Steinbrück den Sitz seiner Nackenstütze. Er hatte ein dickes Handtuch daruntergewickelt und außen eine runde Kuchenform um die Nackenstütze geklickt. Herr Dr. Steinbrück ging auf Nummer sicher. Seit er wusste, dass dieser Bissgestörte tatsächlich existierte und seine Töchter sogar mit seiner Tochter auf eine Schule gingen, überließ er nichts mehr dem Zufall. Zu seiner großen Sorge hatte sich Helene geweigert, ebenfalls eine Nackenstütze umzulegen. Sie war merkwürdig verschlossen gewesen und hatte behauptet, sie würde den bissigen Mann und die beiden Mädchen nicht weiter kennen. Dabei kamen die Mädchen sogar Herrn Steinbrück bekannt vor. Waren es Patientinnen? Hatte er sie schon mal in der Schule gesehen? Oder verwechselte er sie nur mit jemandem?

Herr Dr. Steinbrück lag auf dem Rücken, hatte alle viere von sich gestreckt und starrte an die Decke. Es würde ihm schon noch einfallen. Wenn nicht heute Nacht, dann morgen. Er drehte sich auf die Seite. Die Kuchenform knackte. Dann schlief Herr Dr. Steinbrück ein. Es war eine traumlose und bissfreie Nacht.

Helene Steinbrück lag in ihrem japanischen Bett und träumte von einem schlanken, großen Mann mit einer langen schwarzen Mähne. Er hatte rubinrote Augen und einen Schönheitsfleck. Seine Hände waren schneeweiß, als sie sich um ihre Schultern schlangen. Dann biss er sie in den Hals. Es war ein schöner Traum.

Daka stieß sich mit dem Fuß am Metallgestell ihres Schiffsschaukelsargs ab. Die Federn quietschten leise. Silvania drehte sich auf den Bauch und stützte das Kinn in die Hände. Sie lutschte an einem Stück Knackwurst, das sie sich heimlich aus der Küche geholt hatte. „Am liebsten würde ich morgen gar nicht in die Schule gehen", flüsterte sie.

„Das denke ich ehrlich gesagt jeden Abend", erwiderte Daka.

„Wenn wir Freunde in der Klasse hätten, wie in Bistrien, wäre das anders."

„Kann sein. Dann könnten wir die Freunde auch einfach zu uns einladen, und wir müssten gar nicht mehr in die Schule."

Silvania schnaufte. „Zu uns will keiner kommen. Jetzt schon gar nicht mehr."

Einen Moment blieb es still im Zimmer der Zwillinge.

„Immerhin sind wir nicht allein", sagte Daka schließlich leise. „Wir haben uns."

Silvania lächelte. Aber ihre Augen waren traurig. Sie drehte sich zur Wand und flüsterte: „Boi noap, Daka."

„Boi noap, Silvania."

Ungefähr 8000 Kilometer von Deutschland entfernt ließ sich Oma Zezci von Juan in den weißen Sand einbuddeln, während ihr Bob einen frischen Bloody Larry mixte. In Jamaika glitzerte die Nachmittagssonne auf dem Meer. Sie wusste nichts von den nächtlichen Sorgen der Zwillinge in der Reihenhaussiedlung in Bindburg.

Genesung

Armin Schenkel hatte die letzten Tage auf der Couch im Wohnzimmer in Haus Nummer 24 verbracht. Von der Grippe waren nur noch ein schwaches Kratzen im Hals und eine rote Stelle unterhalb der Nase geblieben. Herr Schenkel fühlte sich gesund. Gestern und vorgestern hatte er bereits mit dem Laptop von zu Hause aus gearbeitet. Sonst wäre seine Firma im völligen Chaos versunken. Und die Wohnung auch. Denn vor lauter Langeweile hatte er angefangen, Schränke auszuräumen und Möbel umzustellen.

Seine Frau Janina war sehr froh über den Laptop. Sein Sohn Linus auch. Wenn Papa es erlaubte, schrieb er mit atemberaubender Geschwindigkeit und Zehnfingersystem lange Briefe an seinen Papa: hjkhjkchbsmabiuesabksxüfcskjb jcslknckscnjs b vsjkchskiklöajlk!

Die Eltern waren stolz.

Doch heute, fand Armin Schenkel, hatte es sich ausgecoucht. Er musste ins Büro. Seine Mitarbeiter, Pflichten, Aufgaben und der Filterkaffee von Frau Reiter warteten auf ihn. Herr Schenkel packte gerade seinen Laptop in die Tasche, als im Haus Nummer 23 gegenüber die Tür aufging. Herr Schenkel erstarrte in der Bewegung und sah zu den Mädchen, die zur Tür herauskamen. Einen Moment dachte er, sie wären zu einem Faschingsball unterwegs, aber dazu war weder die Jahreszeit noch die passende Uhrzeit.

Das Mädchen mit den stacheligen, pechschwarzen Haaren und der großen Sonnenbrille hüpfte die Eingangsstufen herunter. Es hatte ein schwarzes T-Shirt an, das bis zu den Oberschenkeln reichte und auf dem silbern ein Totenschädel mit einer Krone und Flügeln glitzerte. Der Rest der Beine war von einer schwarzen Strumpfhose bedeckt, die ein Muster wie ein Spinnennetz bildete. Die schweren, silbernen Schnürschuhe sahen aus, als wären sie drei Nummern zu groß.

Das andere Mädchen hatte einen Melonenhut auf. An den Seiten quollen rotbraune, schulterlange Haare hervor. Sie trug ein einfaches, rotes Kleid und dazu schwarze, ellbogenlange, fingerlose Handschuhe. Die Spitzen ihrer rotbraunen Stiefeletten bogen sich nach oben wie Haken.

Das Melonenhutmädchen folgte dem anderen Mädchen auf den Bürgersteig. Auf einmal schoss eine Taube von einem Reihenhausdach auf die Straße nieder. Armin Schenkel sah sie nur aus den Augenwinkeln. Sein Blick war fest auf die Mädchen geheftet. Denn was mit ihnen vor sich ging, war viel interessanter. Das Mädchen mit der Spinnenstrumpfhose versuchte, dem anderen Mädchen auf den Arm zu springen, während das Melonenhutmädchen gleichzeitig versuchte, sich hinter dem anderen Mädchen zu verstecken. Es sah aus wie ein panischer Rock-'n'-Roll-Tanzversuch. Schließlich entknoteten sich die Mädchen wieder und –

WEG.

Sie waren einfach weg. Armin Schenkel kam es so vor, als ob die Wohnungstür eben noch gewackelt hatte, aber sicher war er sich nicht. Er klebte mit der Nase an der Fensterscheibe und starrte auf den menschenleeren Bürgersteig. Die Taube pickte ein paar Krümel auf, dann flog sie wieder zurück auf eins der Reihenhausdächer.

Herr Schenkel rieb sich die Augen. Er seufzte. Er fühlte die Temperatur an seiner Stirn und schielte besorgt zur Couch. Dann griff er mit zitternden Händen nach dem Reißverschluss der Laptoptasche. Er wollte den Laptop gerade wieder auspacken, als sich abermals die Tür von Reihenhaus Nummer 23 öffnete. Die beiden Mädchen steckten die Köpfe zur Tür heraus und spähten auf den Bürgersteig. Langsam gingen sie die Stufen hinunter. Sie hielten sich an den Händen und sahen alle paar Sekunden in die Luft. Dann liefen sie zügig auf dem Bürgersteig los.

Armin Schenkel ließ die Nachbarskinder nicht aus den Augen und hielt die Luft an. Er folgte ihnen mit seinem Blick, bis sie am Ende des Lindenwegs um die Ecke bogen. Sie waren weder geflogen noch plötzlich verschwunden. Sie waren gelaufen. Ganz normal. Zwei ganz normale Mädchen auf dem Weg zur Schule.

Armin Schenkel atmete aus. Er schloss die Laptoptasche, nahm sein Jackett und den Autoschlüssel. Heute war er reif für das Büro. Endlich.

Melone im Anflug

Daka und Silvania Tepes waren in ein paar Tagen professionelle Straßenbahnfahrerinnen geworden. Daka surfte im beweglichen Mittelteil der Linie 14 und freute sich über jede Kurve. Silvania las in einem Roman und seufzte hin und wieder. Als die säuselnde Frauenstimme „Nächster Halt: Ringelnatzstraße" ankündigte, drückte Silvania auf den Haltewunschknopf, ohne vom Buch aufzusehen. Erst als sie aus der Straßenbahn traten und den Radweg überquerten, steckte Silvania das Buch in die Tasche.

„Hast du bemerkt, dass Herrn van Kombasts Sportwagen heute Morgen gar nicht vor dem Haus stand?", fragte Daka, während sie der Ringelnatzstraße weiter Richtung Schule folgten.

Silvania zog die Schultern hoch. „Vielleicht muss er zur Abwechslung mal arbeiten, statt bei seinen Nachbarn tote Ratten von der Terrasse zu sammeln und sie damit überraschend zu besuchen."

„Ich habe doch gleich gesagt, dass mit dem Typen etwas nicht stimmt."

„Ach was. Er langweilt sich bestimmt nur alleine zu Hause und sucht Anschluss."

„Meinst du?"

„Klar. Männer können das nicht so offen zeigen und stellen sich dabei ein bisschen an", erklärte Silvania.

„Und warum sucht er gerade bei uns Anschluss?"

Silvania zupfte eine Strähne vors Ohr. „Wir gefallen ihm eben."

Daka schnaubte. „Du hast dich von seinen Blondlöckchen und seinen Katzenaugen einwickeln lassen. Das ist alles. Wenn du mich fragst: Dieser Herr van Kompost stinkt. Und zwar nicht nur nach Knoblauch. Der riecht nach Ärger."

Silvania verdrehte die Augen. „Du hast schon wieder irgendwelche Horrorszenarien im Kopf und siehst überall Gespenster. Dirk van Kombast ist ein ganz normaler, netter Nachbar. Der außerdem total gut aussieht. Er war so süß, als er mit seinen himmelblauen Puschelhausschuhen und Rattatoi in der Hand hilflos im Raum stand."

Jetzt verdrehte Daka die Augen. „Ja, so süß wie eine saure Gurke. Bei deinem Männergeschmack habe ich jetzt schon Angst vor meinem Schwager."

Plötzlich blieb Silvania stehen. „Guck mal! Das da vorne – ist das nicht Helene?"

Ein paar Meter vor ihnen lief ein Mädchen mit langen blonden Haaren. Es sah kurz nach rechts, und Daka und Silvania erkannten ihr Gesicht.

„Klar, das ist sie", meinte Daka und rief: „HELENE!"

Silvania stimmte in den Ruf ein. „H – E – L – E – N – E !!!", riefen die Mädchen zusammen.

Helene aber ging weiter und drehte sich nicht um. Silvania rief abermals, und Daka pfiff, woraufhin sich sämtliche andere Fußgänger umdrehten. Nur Helene nicht.

„Was ist mit ihr los? Ist sie taub?", wunderte sich Daka.

„Sie *will* uns einfach nicht hören", meinte Silvania. „Ist doch klar, nach der Aktion mit ihrem Vater gestern."

„Vielleicht hat ihr Papa ihr verboten, mit uns zu reden."

„Kann sein. Auf jeden Fall will sie nichts mehr mit uns zu tun haben. Das ist ja wohl eindeutig", sagte Silvania.

Sie waren bei dem kleinen Park angelangt, der direkt an die Schule grenzte. Dort standen drei große Bäume, zwei Bänke, und es gab einen kleinen Springbrunnen, der aber schon seit Jahren trocken war. Zur Schule hin grenzten eine Hecke und ein Gitterzaun den Park ab. In dem Park trafen sich die höheren Klassenstufen vor der Schule. Zum Quatschen, Rauchen, cool Dastehen und damit sie nicht zu früh in der Schule ankamen. Jedes Grüppchen hatte seinen Stammplatz. An der dicken Eiche standen die Mädchen der Elften. Sie drückten auf ihren Handys herum. Auf der Bank am Springbrunnen saßen zwei Pärchen. Sie drückten die Lippen aufeinander. An der Hecke zur Schule standen Missy Master, Killa K und BH.

Die drei waren in der ganzen Schule bekannt. Und wer sie kannte, fürchtete sie. Ob Schüler, Lehrer, Putzfrauen – sie alle machten lieber einen Bogen um das Terror-Trio. Die Schüler hatten Angst, die Lehrer wollten ihre Nerven schonen, und die Putzfrauen wollten pünktlich Feierabend machen.

Was war so schlimm an den dreien? Sie waren drei Schüler der zehnten Klasse: Saskia Meister, genannt Missy Master; Kai Kronert, bekannt als Killa K; und Benny Hartwig, genannt BH. Sie gingen nicht gerne zur Schule, machten gerne verbotene Sachen und taten nie das, was man ihnen sagte. Aber sie gingen auch nicht gerne nach Hause, interessierten sich für nichts und meinten, sie hätten nichts zu verlieren. Deswegen glaubten sie auch, es wäre egal, was sie taten. Und deswegen machten sie meistens Blödsinn.

Das Terror-Trio hatte sich im Dreieck auf dem Rasen vor der Hecke aufgestellt. Sie warfen sich eine Honigmelone zu. „Los, BH, gib ab!", rief Killa K.

BH holte aus und feuerte die Melone mit voller Kraft zu Killa K. Der ging in die Hocke und fing sie mit beiden Händen auf. Dann richtete er sich schnell wieder auf und warf Missy Master die Honigmelone zu.

Die fing die Melone mit einer Hand auf und warf sie ein paar Mal kurz in die Höhe. „Das ist doch langweilig", fand Missy Master. „Wir brauchen neue Mitspieler." Sie machte eine beeindruckende Blase mit ihrem Kaugummi und sah sich um. Dann entdeckte sie genau das richtige Opfer. „Guckt mal, die kleine Steinbruch. Mal sehen, ob sie nur hübsch aussehen oder auch fangen kann." Missy Master hob die Melone in die Höhe und setzte zum Wurf an. „He, Helene, hier kommt was für dich!"

Wusch! Die Melone segelte durch die Luft.

Daka und Silvania hatten Missy Master gehört

und sahen der Melone, die wie ein gelber American Football durch den herbstblauen Himmel eierte, mit offenen Mündern nach.

„Achtung, fliegende Melone!", rief BH und lachte.

Doch Helene reagierte überhaupt nicht. Sie war stehen geblieben und suchte etwas in ihrer Tasche. Die Melone steuerte direkt auf ihren Kopf zu. In weniger als drei Sekunden würde sie Helene mit voller Wucht treffen.

„Schlotz zoppo!", rief Silvania.

„Ach, du schöne Scheiße", stöhnte Missy Master.

„Geil. Gleich isse Matsch", nuschelte Killa K.

„H – E – L – E – N – E – E !!!", schrie Daka.

Helene kramte weiter in ihrer Tasche.

Ohne groß nachzudenken, beschlossen Daka und Silvania, die radikale Regel Nummer sechs zu brechen. Mit übernatürlicher Geschwindigkeit flopsten sie sich ein paar Meter nach vorne zu Helene.

Flops! – waren sie von einem Ort am anderen.

Zack! – fing Daka die Honigmelone auf.

Missy Master fiel das Kaugummi aus dem Mund.

„Wer … wieso … wo kommen die denn auf einmal her?", fragte BH.

Killa K starrte Silvania und Daka an und zog die Nase geräuschvoll hoch. „Geil."

Daka drehte sich zu Missy Master, BH und Killa K um. „Gehört die euch?" Sie hielt die Honigmelone hoch.

Killa K nickte.

„Dann fangt!" Daka holte weit aus und warf die

Honigmelone in die Luft. Sie schoss wie eine Rakete in den blauen Himmel. Missy Master, BH und Killa K legten die Köpfe in den Nacken und sahen ihrer Melone mit offenen Mündern nach. Im weiten Bogen flog die Melone über den kleinen Park hinweg. Wo auch immer sie landen würde – es würde in einer anderen Zeitzone sein. Vielleicht sogar auf einem anderen Planeten. Da war sich das Terror-Trio sicher.

Banane trifft Melone

Daka hatte die Honigmelone ungefähr einen Zentimeter vor Helenes Kopf abgefangen. Es war eine haarscharfe Sache gewesen.

„Was war das?", fragte Helene, die erst im letzten Moment aufgehört hatte, in ihrer Tasche zu kramen, und Daka und Silvania mit großen Augen ansah.

„Eine Melone", sagte Silvania.

„WAS? Eine Kanone?", fragte Helene.

„Nein, eine Melone. Genau genommen eine Honigmelone. Du weißt schon, diese gelben harten Früchte zum Essen", erklärte Daka.

Silvania stieß ihre Schwester in die Seite und zischte: „Helene weiß bestimmt, was Honigmelonen sind."

Helene hörte mit gerunzelter Stirn zu und sah von einer Schwester zu anderen. „Ähm … danke auf jeden Fall. Das war TOTAL SUPER. TAUSEND DANK!"

„Kein Problem", sagte Silvania und lächelte.

„Stimmt, das war extrem. ECHT, VIELEN DANK!"

„Schon gut. Deswegen musst du nicht gleich so rumschreien", erwiderte Daka. „Wären wir eine Sekunde später gekommen, wäre dein Kopf Matsch gewesen. Hast du die Typen da drüben im Park denn gar nicht gehört?"

Helene starrte fieberhaft auf Dakas Lippen. „Ich finde auch, dass Hunde im Park an die Leine gehören", antwortete sie schließlich.

Die Zwillinge sahen Helene fragend an.

„Und auf den Topf gehen sollten sie auch. Vor allem, wenn sie Melone gegessen haben und nichts als Matsch hinten rauskommt."

Daka blickte Helene verständnislos an.

Silvania strich Helene über den Arm. „Geht es dir heute nicht gut?"

„Wahrscheinlich steht sie unter Schock", meinte Daka.

„Hm, ich habe keine Ahnung, in welchem Shop man einen Gurt bekommt", erwiderte Helene. Ihre Wangen waren knallrot, und sie kratzte sich hektisch am Arm.

Daka und Silvania tauschten einen Blick aus. „Wir müssen ganz vorsichtig mit ihr sein", flüsterte Silvania.

„Wie heißt du?", fragte Daka.

Helene runzelte die Stirn. „Mit Erdöl?"

Silvania beugte sich vor und fragte ganz langsam: „Und – wie – alt – bist – du?"

„Zwölf, das wisst ihr doch!"

Daka und Silvania sahen sich erstaunt an. Daka zuckte mit den Schultern. „Vielleicht ist der Schock wieder vorbei."

„Ihr wollt noch an einem Shop vorbei?", fragte Helene.

„Doch noch nicht", flüsterte Silvania ihrer Schwester zu.

Daka hielt es nicht mehr aus. Sie hatten es vorsichtig versucht, jetzt kam die radikale Variante. Dafür war sie zuständig. Sie nahm die verblüffte Helene bei den Schultern und schüttelte sie. „WAS IST MIT DIR LOS?", rief sie.

„GAR NICHTS!", schrie Helene zurück.

„DOCH!", rief Daka.

„NEIN!", schrie Helene.

„SAG ES!"

„NIEMALS!"

„SOFORT!", forderte Daka.

„HÖR AUF, MICH ZU SCHÜTTELN!"

„DANN SAGST DU ES!"

„NEIN!"

„DOCH!"

„VIELLEICHT."

„BESTIMMT."

„MAL SEHEN."

„ABGEMACHT." Daka ließ Helene los.

Silvania starrte ihre Schwester an und schüttelte den Kopf. Daka zuckte die Schultern.

Helene sah auf ihre Zehenspitzen. Dann betrachtete sie die Schwestern einen Moment nachdenklich. Schließlich holte sie tief Luft und kramte wieder in ihrer Tasche. Daka und Silvania machten lange Hälse, als wollten sie in den Sack des Weihnachtsmannes sehen.

Helene hielt inne. Sie hatte offenbar gefunden, wonach sie gesucht hatte. Mit einer schnellen Bewegung fuhr ihre Hand wieder aus der Tasche. „Das da ist mit mir los", sagte sie leise und hielt den

Zwillingen ein kleines gelb-weißes Plastikding vor die Nase. Es sah aus wie eine halbe Minibanane.

„Kann man das essen?", fragte Silvania.

Helene steckte sich die Minibanane mit einer geübten Bewegung ins Ohr. „Damit kann ich hören."

Es dauerte einen Moment, bis Daka und Silvania begriffen hatten. „Die Minibanane ist ein Hörgerät?", fragte Daka.

Helene nickte. Sie fuhr sich über den Arm, auf dem man gerade noch ein verwaschenes Skelett-Tattoo sehen konnte.

„Du kannst sonst ... du kannst nichts hören?", fragte Silvania.

„Doch, schon. Aber nicht so gut. Ich muss Lippen lesen, und darin bin ich total mies. Habt ihr vielleicht gemerkt."

„Ach, kaum", sagte Daka und unterdrückte ein Grinsen.

„Wieso hast du uns denn nicht gleich gesagt, dass du ein Hörgerät hast?", fragte Silvania.

„Eigentlich wollte ich es euch gar nicht sagen." Helene sah wieder auf ihre Zehenspitzen.

„Und wieso?"

„Weil niemand in der Schule davon weiß. Außer den Lehrern, die wissen Bescheid."

„Keiner in der Klasse weiß, dass du ohne deine Hörbanane halb taub bist?", fragte Daka und fing daraufhin gleich einen bösen Blick und einen Klaps von ihrer Schwester ein.

„Es ist nicht gefährlich oder so", erklärte Helene.

„Ich habe das Gerät ja fast immer im Ohr. Und ich bin auch nicht ganz taub ohne."

„Verstehe ich trotzdem nicht. Wieso sagst du es den anderen nicht?", fragte Daka.

„Na, weil … weil ein Hörgerät so ziemlich das Uncoolste ist. Oder etwa nicht?" Helene strich die Haare vor das Ohr mit dem Hörgerät und sah die Schwestern fragend an.

„Echt? Keine Ahnung", meinte Daka. „Ich habe noch nie jemanden mit einer Hörbanane kennengelernt. Du bist die Erste – und damit auf jeden Fall etwas Besonderes. Und das ist doch eigentlich cool."

„Ich weiß nicht …" Helene sah nachdenklich und traurig in die Luft. „Die meisten denken, ich bin perfekt. Wenn sie erfahren, dass ich ein Hörgerät brauche, dann wollen sie bestimmt nichts mehr mit mir zu tun haben."

„Gumox! Äh … Quatsch", warf Silvania ein. „Wir wollen auf jeden Fall noch etwas mit dir zu tun haben."

Helene lächelte. Doch dann wurde ihr Gesicht wieder ernst. „Versprecht ihr, keinem von meinem Hörgerät zu erzählen?"

„Klar, versprochen", erwiderte Silvania.

„Mach dir keine Sorgen. Ein Hörgerät ist bestimmt nichts gegen die Sachen, die wir verbergen müssen", sagte Daka.

Helenes Augenbrauen schossen in die Höhe.

„Ähm … wie geht es deinem Vater?", fragte Silvania hastig. Eigentlich hatte sie Helene nicht an die gestrige Szene nach Schulschluss erinnern wollen, aber auf die Schnelle war ihr nichts anderes eingefallen.

Auf einmal fing Helene an zu kichern. „Er hat letzte Nacht mit einer Kuchenform um die Nackenstütze geschlafen."

„Oh. Und du findest das … lustig?", fragte Silvania. Sie runzelte die Stirn und betrachtete die kichernde Helene.

„Das war so cool gestern mit eurem Vater. Ich wünschte, ich hätte auch so einen abgedrehten Vater, der andere Leute beißt", erwiderte Helene.

„Bist du dir da sicher?", fragte Daka.

„Wir können ihn dir gerne mal ausleihen", schlug Silvania vor.

„Dann musst du aber auch Ausflüge mit ihm machen und ,Transsilvania, rodna inima moi' singen", gab Daka zu bedenken.

„Transsilvania was?" Helene klopfte auf ihr Hörgerät.

„Das ist nur so ein altes Heimatlied", erklärte Silvania.

„Das heißt, du bist überhaupt nicht sauer wegen gestern?", fragte Daka.

Helene schüttelte den Kopf.

„Und dein Papa hat dir auch nicht verboten, mit uns zu reden?", fragte Silvania.

Helene schüttelte den Kopf.

„Wir können also trotzdem zusammen mit Karlheinz spielen?"

Helene nickte.

„Und ins Kino gehen?"

Helene nickte.

Silvania räusperte sich. „Und wir können vielleicht bald allerbeste Freundinnen sein?"

Helene sah die Zwillinge ernst an und wiegte den Kopf. Daka und Silvania hatten das Gefühl, die Sekunden vergingen wie Minuten. „Dazu müssen wir noch etwas klären", sagte Helene schließlich und holte etwas aus ihrer Hosentasche. Es war eine Kette mit einem ovalen Anhänger mit feinen, alten Gravuren.

Eine kosmische Botschaft

Martin Graup hatte gute Laune. Das kam selten vor. Noch seltener an einem Morgen, dem sechs Stunden Unterricht folgten. Er hatte sein neues graues Hemd mit den weißen Nähten angezogen und den obersten Knopf geöffnet. Es war ein herrlicher Spätsommermorgen. Herr Graup schritt zügig mit seiner Mappe unter dem Arm durch die Straßen, sog die verheißungsvolle Morgenluft ein und dachte an Katrin Renneberg. Heute, hatte er beschlossen, würde er sie fragen. Was genau, wusste er noch nicht. Vielleicht fragte er sie einfach, wie es ihr an der Schule gefiel. Oder ob sie sich schon eingelebt hatte. Vielleicht fragte er sie auch, ob er ihr einen Kaffee holen durfte. Oder ob er ihr als alter Hase ein paar Insidertipps zur Schule geben konnte. Und womöglich ergab es sich im Verlauf des Gesprächs, dass er sie für das Wochenende einlud. Wozu, wusste er noch nicht. Zu einem Spaziergang, ins Kino oder zum Essen. Das würde sich schon ergeben.

Herr Graup hatte im Radio sein Horoskop gehört. Die Sterne standen günstig. Aus kosmischer Sicht kam heute einiges auf ihn zu. „Ein Tag voller Überraschungen, Erkenntnisse und Begegnungen", hatte der Radiomoderator prophezeit und dazu geraten, „die Zusammentreffen einfach zu nehmen, wie sie der Himmel schickt."

Natürlich glaubte Martin Graup nicht an solche Sachen. Horoskope waren etwas für Frauen beim Friseur oder Menschen in anderen verzweifelten Lebenslagen. Trotzdem, schaden konnte es nichts.

Martin Graup ging gerade über den Körnerplatz, der nur drei Häuserblöcke von der Gotthold-Ephraim-Lessing-Schule entfernt lag. Er warf einen Blick auf seine Schuhe und freute sich, dass sie makellos glänzten. Dann hörte er ein seltsames Geräusch über sich. *Flopp, flopp, flopp,* segelte etwas durch die Luft. Herr Graup sah jäh auf und erkannte im letzten Moment etwas Großes, Rundes, Gelbes auf seinen Kopf zufliegen.

WUMMS.

Dann war es dunkel.

Nach ein paar Sekunden kam Herr Graup wieder zu sich. Er lag in einem Asternbeet. Neben seinem Kopf, direkt vor seiner Nase, lag eine Honigmelone. Martin Graup richtete sich auf. Sein Kopf tat weh. Er spürte eine walnussgroße Beule am oberen Stirnende. Sein Hemd war voller Erde und gelber Asternsamen.

Vor ihm stand ein Mann mit einem langen grauen Bart, einem Rollerwagen und einer Flasche Bier in der Hand. Er deutete auf die Melone. „Die hat Ihnen direktemang der Himmel jeschickt."

Herr Graup nickte zögernd. Sofort fing sein Kopf zu hämmern an. Er blieb einen Moment im Asternbeet sitzen und dachte über das Leben, Horoskope und Honigmelonen nach. An Katrin Renneberg dachte er nicht mehr.

Als Herr Graup ein paar Minuten später mit der Honigmelone in der Hand bei der Direktorin Frau Rosenstiel erschien und ihr erklärte, die Melone sei direkt vom Himmel auf seinen Kopf gefallen, musterte die Direktorin Herrn Graup besorgt und beurlaubte ihn sofort für die nächsten Tage.

Geheimnisse

Daka und Silvania starrten auf die Kette in Helenes Hand.

„Wo hast du die her?", fragte Silvania und streckte die Hand nach der Kette aus. Sie hatte also doch richtig gesehen ... Jetzt spürte sie die Enttäuschung in sich aufsteigen – so etwas hätte sie Helene nicht zugetraut.

Helene ließ das Schmuckstück langsam in Silvanias Hand gleiten. „Von Rafael."

„Rafael Siegelmann?" Daka stutzte.

„Genau der. Er hat sie mir gestern geschenkt. Hat behauptet, er hätte sie aus einem Antiquariat."

„Frechheit!", rief Silvania und strich über den Anhänger.

„Und wie kommt Rafael zu der Kette?", wunderte sich Daka. „Der ist doch den ganzen Tag mit melden, Lehrer grüßen und Tafelbild abschreiben beschäftigt."

„Ja, er schon. Aber Lucas Glöckner nicht", sagte Helene.

„Was hat Lucas mit Rafael zu tun?", fragte Silvania.

„Jede Menge. Seit sie in einer Klasse sind, sind sie ein Team. Rafael denkt sich irgendwelchen Blödsinn aus, und Lucas macht ihn dann. Dabei ist Rafael so geschickt, dass die Lehrer das noch nicht mitbekommen haben. Manchmal schnallt es sogar Lucas nicht."

„Du meinst, Rafael hat Lucas angestachelt, meine Kette zu klauen?", fragte Silvania.

„So genau weiß ich das nicht. Vielleicht hast du sie auch verloren, und die beiden haben sie gefunden."

„Finden und einfach behalten ist genauso schlimm wie klauen", meinte Daka.

Helene deutete auf den Anhänger. „Was ist da eigentlich drin?"

„Das weißt du doch bestimmt schon", erwiderte Silvania.

„Ich habe gesehen, was im Anhänger ist, aber ich weiß es nicht. Was sollen die Erdkrümel, und wer ist die Frau auf dem Bild?"

Silvania zögerte. Dann sagte sie leise: „Das ist Oma Zezci."

„Ist sie ... tot?", fragte Helene und zog die Augenbrauen zusammen.

„Nein. Sie ist mit Juan, Eddie, Bruce, Bounty, Bob und einem Bloody Larry auf Jamaika", erwiderte Silvania.

„Und was ist mit den Erdkrümeln?"

„Die halten die Farben auf dem Bild schön frisch", sagte Daka. „Ist ein uralter Trick, den uns der Maler verraten hat."

Helene musterte Daka mit zusammengekniffenen Augen. „Stimmt das?"

Silvania und Daka nickten. Plötzlich fiel Silvania etwas ein. „Wieso hast du mir die Kette eigentlich nicht gleich gestern gegeben? Du wusstet doch, dass ich meine Kette suche."

Helene sah kurz zu Boden. „Na ja. Nach der Schule ging es ja wohl schlecht. Und außerdem wollte ich mir die Kette selber ansehen. Es tut mir leid, aber ich war einfach neugierig."

„Auf Silvanias alte Kette?", fragte Daka.

Helene nickte. „Ich dachte, ich komme vielleicht hinter euer Geheimnis."

„Äh … was denn für ein Geheimnis?", fragte Silvania.

„WIR haben keine Geheimnisse", behauptete Daka.

„Ach ja? Also, ich weiß nicht, was genau mit euch los ist. Aber eins ist klar: Ganz normal seid ihr nicht."

Die Zwillinge waren einen Moment sprachlos. So etwas hatte noch nie jemand zu ihnen gesagt. Aber vielleicht auch nur, weil sie bis jetzt in Bistrien immer völlig normal gewesen waren.

„Wie kommst du darauf?", wollte Daka wissen.

„Also", begann Helene und hob die Hand, um ihre Verdachtsmomente an den Fingern abzuzählen. „Warum seid ihr so leichenblass? Warum setzt ihr fast nie die Sonnenbrille oder den Hut ab? Warum schläfst du, Daka, kopfüber am Stufenbarren, und warum torkelst du, Silvania, vom Balken? Warum sagt ihr manchmal so komische Sachen wie ‚schlotz' oder ‚fumpfs'? Denn ich habe es nachgesehen – das ist kein Rumänisch! Warum cremt ihr euch immer mit Sonnencreme ein, auch wenn die Sonne gar nicht scheint? Wieso riecht ihr leicht muffig? Warum seid ihr ständig müde? Wieso beißt du, Silvania, heimlich unter der Bank von einer Wurst ab, und wieso fängst du, Daka, auf dem Schulhof ständig Fliegen?" Helene hörte auf, als sie sah, dass ihr die Finger ausgingen.

Silvania spielte an einem ihrer langen Handschuhe. Um ihre Augen hatten sich rote Ringe gebildet. Daka guckte in die Luft, spitzte die Lippen und zuckte die Schultern.

Helene trat einen Schritt näher an Daka und Silvania heran. „Was ist euer Geheimnis?", fragte sie leise.

Silvania hatte einen interessanten Fleck auf dem schwarzen Handschuh entdeckt, der ihre ganze Aufmerksamkeit erforderte. Daka zog die Augenbrauen zusammen und pfiff leise „Transsilvania, rodna inima moi".

„Das ist nicht fair", beschwerte sich Helene. „Ich habe euch mein Geheimnis auch verraten. Ihr seid die Einzigen, die davon wissen."

Daka und Silvania sahen sich unentschlossen an.

„Ich verspreche, ich erzähle es niemandem!"

„Vielleicht willst du aber gar nichts mehr mit uns zu tun haben, wenn du es weißt", gab Silvania zu bedenken.

„Ja, vielleicht hast du dann Angst vor uns", sagte Daka.

Helene schüttelte entschlossen den Kopf. „Ich habe keine Angst. Je unheimlicher euer Geheimnis, desto besser."

Silvania sah fragend zu Daka. Die zuckte die Schultern. Sollten sie Helene Steinbrück ihr Geheimnis verraten? Einfach so? Sie kannten Helene doch erst seit ein paar Tagen. Und ihr Geheimnis war nun wirklich ein anderes Kaliber als „Ich stehe nachts auf und esse Schokolade". Sie hatten ihrer Mutter versprochen, mit niemandem über ihre Vampirherkunft zu reden und sich an die sieben radikalen Regeln zu halten. Sie konnten doch nicht einfach zu Helene sagen: „Es ist nicht weiter aufregend, wir sind nur Halbvampire. Am besten, du vergisst es gleich wieder." Schubidu. Helene würde wahrscheinlich vollkommen durchdrehen. Sie würde ihren Papa rufen, die Polizei, die Feuerwehr oder den Papst. Bestenfalls würde sie denken, ihr Hörgerät wäre kaputt.

Allerdings war Helene sowieso schon misstrauisch. Wenn sie einfach schwiegen, würde sie noch misstrauischer werden. Und dann konnten sie nie Freunde werden. Denn Freunden *ver*traute man. Hatte Helene nicht recht? War es nicht unfair? Sie hatte ihnen ihr größtes Geheimnis anvertraut. Das war bestimmt nicht leicht gewesen. Für sie war das Hörgerät eine genauso große Sache wie für Silvania und Daka die langen Eckzähne, das Fliegen und das Flopsen zusammen. Vielleicht würde Helene gar nicht schreiend weglaufen. Sie könnte sich auch freuen, zwei Halbvampire kennenzulernen. Wann traf man die als normaler Mensch schon mal?

Daka räusperte sich. „Also, na ja …"

„Das ist nicht so einfach", warf Silvania ein.

„Eigentlich ist es schon einfach, aber genau genommen wieder nicht", fand Daka.

„Kein Problem. Ihr könnt mir alles ganz langsam und genau erklären", sagte Helene. Ihre Augen funkelten vor Aufregung.

Daka kratzte sich am Kopf. „Tja, also du weißt ja, dass wir aus Siebenbürgen kommen."

Helene nickte.

„Und dort …"

„Ist es sehr schön", sagte Silvania.

„Ja, wunderschön! Es gibt Wälder, Flüsse, Berge, Tiere, Menschen und es gibt Halb…"

„…stiefel", fiel Silvania ihrer Schwester ins Wort. „Wie diese hier." Sie deutete auf ihre Stiefeletten.

Helene sah kurz auf Silvanias Schuhe. Dann blickte sie die Schwestern wieder erwartungsvoll an.

Daka setzte abermals an. „Genau. Und in Siebenbürgen gibt es Halb…"

„…affen", platzte es aus Silvania heraus.

„Halbaffen? In Rumänien?" Helene runzelte die Stirn.

„Ja, ziemlich erstaunlich, nicht wahr?" Silvanias rote Ringe um die Augen waren nicht mehr zu übersehen.

„Und das hat etwas mit eurem Geheimnis zu tun?", fragte Helene.

„Nicht so richtig", gab Silvania zu.

„Eigentlich gar nicht", verbesserte Daka. Dann sah sie ihre Schwester fragend an. Silvania holte tief Luft und nickte schließlich. „Also", fuhr Daka fort. „Schrei bitte nicht wie irre, lauf nicht weg, und fall bitte auch nicht in Ohnmacht, wenn es geht. Die Sache ist die ..." Daka beugte sich vor und flüsterte: „Silvania und ich, wir sind ..."

WUMMS!

Die drei Mädchen fuhren herum. Unter dem Baum, neben dem sie standen, lag eine Schultasche. Die Mädchen guckten nach oben. Zwei Beine hingen von einem Ast. Jemand fluchte leise im Baum. Mit offenen Mündern sahen Silvania, Daka und Helene dabei zu, wie Ludo Schwarzer vom Baum kletterte. Als er auf dem Boden stand, wischte er sich ein paar Rindenstücke und Blätter von T-Shirt und Hose und hob die Schultasche auf. Dann blickte er von einem Mädchen zum anderen. Die Zwillinge betrachtete er etwas länger. Dabei zogen sich seine Augenbrauen zusammen, und die ockerfarbenen Pupillen wurden dunkler. Schließlich schulterte er seine Tasche, ging ohne ein Wort an den Mädchen vorbei und verschwand kurz darauf im Schulgebäude.

Silvania schüttelte sich. „Der Typ ist unheimlich."

„Ja, total", sagte Helene mit leuchtenden Augen. „Guckt mal, ich habe schon eine Gänsehaut." Helene hielt den Zwillingen einen Arm hin.

Daka und Silvania nickten anerkennend.

„Vielleicht ist das nicht der beste Ort, um Geheimnisse auszutauschen", sagte Silvania.

„Und nicht die beste Zeit." Daka deutete auf die große Uhr, die über dem Schultor hing. In einer Minute würde es zur ersten Stunde klingeln.

Helene machte ein enttäuschtes Gesicht. „Na gut,

dann verschieben wir das mit eurem Geheimnis. Ihr könnt es mir in der Pause erzählen."

Silvania schüttelte den Kopf. „Solange Ludo jederzeit wie ein Geist auftauchen kann, ist das viel zu riskant."

„Geheimnisse tauscht man am besten an einem geheimen Ort aus", sagte Daka.

„Und wo soll das sein?", fragte Helene.

„Das überlegen wir uns noch", erwiderte Silvania.

Helene musterte die Zwillinge misstrauisch. „Aber glaubt nicht, dass ich das mit dem Geheimnis vergesse!"

„Nein!"

„Nie im Leben!" Silvania und Daka schüttelten heftig die Köpfe.

„Und ihr denkt an euer Versprechen." Helene deutete auf ihr Ohr und machte: „Psst!"

„Klar", sagte Silvania.

„Hoi boi!", rief Daka und gab Helene eine Kopfnuss.

„Autsch! Wofür war die denn?"

„Das macht man so bei uns, wenn man sich freut, den anderen zu sehen", erklärte Daka.

„Und ‚hoi boi' heißt so viel wie ‚alles paletti'", fügte Silvania hinzu.

„Ebenfalls hoi boi", sagte Helene und klopfte Silvania und Daka kräftig auf die Köpfe.

Die drei Mädchen grinsten sich einen Moment lang an. Dann gingen sie zum Schultor. Wie drei Freundinnen.

Besuch mit Biss

In der darauffolgenden Nacht konnten Rafael Siegelmann und Lucas Glöckner nur sehr schlecht schlafen. Sie hatten keine Albträume und auch kein schlechtes Gewissen, was sie zwickte. Sie hatten Besuch von Karlheinz.

Karlheinz hatte zur Verstärkung ein paar blutsaugende Bekannte mitgebracht. Quito, die alte Mücke, hatte dem ganzen Mückenclan Bescheid gesagt, als er hörte, dass es zu einer nächtlichen Sauftour ging. Die Flöhe überlegten auch nicht lange. Ihre Zirkusnummern konnten sie später noch trainieren. Einen Schluck Frischblut ließ man nicht kalt werden.

Für Rafael und Lucas kam der Besuch überraschend und im Tiefschlaf, dafür blieb er auch nur eine Nacht. Die Jungen wälzten sich im Bett, schlugen um sich, kratzten und klagten. Am nächsten Morgen war der Besuch verschwunden. Aber er hatte Spuren hinterlassen. Lucas hatte am ganzen Körper kleine rote Punkte, die so furchtbar juckten, dass er sich – obwohl draußen 18 Grad waren – dicke Fausthandschuhe anzog, damit er nicht kratzte.

Rafael sah aus, als hätte ihm ein Elefant mit einem Granatapfel im Rüssel ins Gesicht geniest. Über seiner Oberlippe reihten sich dicke rote Pusteln. Auf den ersten Blick hätte man denken können, Rafael hätte einen knallroten Schnauzbart. Farblich passend dazu hatte er einen beeindruckenden Mückenstich auf der Nase. Der Besuch hatte sich alle Mühe gegeben und einen bleibenden Eindruck hinterlassen.

Rafael wäre am liebsten zu Hause geblieben und hätte den Kopf den ganzen Tag in das Tiefkühlfach gesteckt. Das hielt seine Mutter aber für keine gute Idee. Sie cremte sein Gesicht ein, wonach er wie eine Weihnachtskugel glänzte, und bestand darauf, dass er zur Schule ging. Rafael tat, was seine Mutter sagte. Ärger mit ihr war viel schlimmer als ein juckender Kopf.

Es war kein schöner Schultag für Rafael Siegelmann und Lucas Glöckner.

Für Silvania und Daka Tepes dagegen schon. Silvania hatte ihre Kette zurück. Alle fünf Minuten fasste sie sich an den Hals, um sich zu vergewissern, dass das Schmuckstück von Oma Zezci auch noch da war.

Daka konnte sich nicht verkneifen, sich ab und zu nach Lucas und Rafael umzusehen. Dann nickte sie anerkennend. Sie war stolz auf Karlheinz und seine Bekannten. Auf ihre Haustiere war eben Verlass. Vielleicht baute sie Karlheinz zur Belohnung ein neues Versteck im Aquarium.

Die Pausen verbrachten Silvania und Daka mit Helene. Sie redeten über die Schule, Musik, Kinofilme und Klamotten. Nur über das Geheimnis der Zwillinge redeten sie nicht. Doch Helene brannte darauf, es zu erfahren. Die Schwestern wussten: Lange konnten sie ihre neue Freundin nicht mehr hinhalten. Sonst hätten sie bald eine Exfreundin.

Kopfnuss und Schluss

„Du bist dir sicher, dass Rennzecken nichts für dich sind? Das ist spannender als Fußball", sagte Herr Tepes.

Opa Gustav runzelte die Stirn. „Das kann gar nicht sein."

„Probier es wenigstens mal", bat Herr Tepes.

„Wie sind die Spielregeln?"

„Spielregeln? Die Zecke, die zuerst über die Ziellinie läuft, hat gewonnen."

„Ach."

Oma Rose und Opa Gustav saßen mit Elvira und Mihai Tepes auf der blutroten Couch im Wohnzimmer. Mihai Tepes hatte die Füße ins Katzenklo gestellt, und Opa Gustav musterte die ungewöhnliche Pflanzenzucht kritisch.

„Prost!", sagte Elvira Tepes und hielt ein Glas mit Karpovka hoch.

„Oder Schnappobyx, wie man bei uns sagt", fügte Herr Tepes mit breitem Lächeln hinzu.

Oma Rose und Opa Gustav erhoben ihre Karpovkagläser. Silvania und Daka ihre Gläser mit Saft.

„Auf die neue Wohnung!", sagte Opa Gustav.

„Auf ‚Die Klobrille'!", sagte Elvira Tepes.

„Auf die Klobrillenbesitzerin", sagte Herr Tepes und gab seiner Frau einen kitzelnden Lakritzschnauzerkuss.

„Auf den Neubeginn", prostete Oma Rose.

„Auf die neue Schule", sagte Daka.

„Und neue Freunde", fügte Silvania hinzu.

Opa Gustav war überzeugt, dass die Mädchen dank seiner Strategie so schnell Anschluss gefunden hatten. Oma Rose bezweifelte das. Daka und Silvania wussten es selbst nicht so genau. Vielleicht hatte es geklappt, weil sie es einfach nur versucht hatten. Sogar Daka, die mit Menschen eigentlich nichts zu tun haben wollte.

„Willst du immer noch so schnell wie möglich zurück nach Transsilvanien?", fragte Silvania ihre Schwester während der Dentiküre vor dem Schlafengehen.

Daka setzte die Feile ab und betrachtete nachdenklich ihr nebelhaftes Spiegelbild. „Im Moment nicht", sagte sie schließlich. „Aber Heimweh habe ich trotzdem noch."

Silvania nickte. „Ich auch. Manchmal."

„DU?"

„Ich habe sogar von Bogdan geträumt", flüsterte Silvania.

„Wie schrecklich!" Daka beobachtete Silvania, die ihre Eckzähne gründlich polierte. „Willst du immer noch ein Mensch sein?"

Silvania zuckte die Schultern. „Weiß nicht. Aber eins will ich auf jeden Fall nicht mehr sein: Vegetarierin."

Daka prüfte mit dem Zeigefinger, ob ihr Eckzahn schön spitz war, aber nicht zu lang. „Wie sehe ich aus?", fragte sie ihre Schwester.

„Spitzenmäßig. Und ich?" Silvania lächelte breit und zeigte ihre rund gefeilten Eckzähne.

„Rundum klasse."

Daka und Silvania gaben sich eine Kopfnuss. Helene hatte die Sache mit der Kopfnuss so gut gefallen, dass sie sie gleich zum neuen Freundinnengruß ernannt hatte. Obwohl sie noch gar keine richtigen Freundinnen waren. Dazu schuldeten Silvania und Daka Helene noch etwas. Die Wahrheit. Sollten Silvania und Daka ihr Geheimnis preisgeben? Konnten sie Helene sagen, dass sie Halbvampire waren? Die Zwillinge mussten sich entscheiden.

Aber das ist eine andere Geschichte.

Franziska Gehm wurde 1974 in Sondershausen geboren. In Jena, Limerick und Sunderland studierte
sie Anglistik, Psychologie und Interkulturelle Wirt-
schaftskommunikation. Nach dem Studium unter-
richtete sie an einem Gymnasium in Dänemark,
arbeitete bei einem Wiener Radiosender und als
Kinderbuchlektorin. Sie lebt als Autorin und Über-
setzerin in München.

Die Vampirschwestern

Sie lassen sich von nichts und niemandem aufhalten! In Windeseile flattern die halb-vampirischen Zwillingsschwestern Daka und Silvania von Abenteuer zu Abenteuer.

🦇 **Eine Freundin zum Anbeißen (Bd. 1)**
ISBN 978-3-7855-6108-9

🦇 **Ein bissfestes Abenteuer (Bd. 2)**
ISBN 978-3-7855-6109-6

🦇 **Ein zahnharter Auftrag (Bd. 3)**
ISBN 978-3-7855-6433-2

🦇 **Herzgeflatter im Duett (Bd. 4)**
ISBN 978-3-7855-6587-2

🦇 **Ferien mit Biss (Bd. 5)**
ISBN 978-3-7855-6731-9

🦇 **Bissige Gäste im Anflug (Bd. 6)**
ISBN 978-3-7855-6845-3

🦇 **Der Meister des Drakung-Fu (Bd. 7)**
ISBN 978-3-7855-6846-0

🦇 **Bissgeschick um Mitternacht (Bd. 8)**
ISBN 978-3-7855-7247-4

🦇 **Ein Sommer zum Abhängen (Bd. 9)**
ISBN 978-3-7855-7412-6

🦇 **Ein Date mit Bissverständnis (Bd. 10)**
ISBN 978-3-7855-7682-3

🦇 **Vorsicht, bissiger Bruder! (Bd. 11)**
ISBN 978-3-7855-7943-5

LOEWE   www.vampirschwestern.